La traicionada

La traicionada

Kiera Cass

Traducción de Jorge Rizzo

rocabolsillo

Título original: *The Betrayed*

Edición publicada en acuerdo con The Laura Dail Literary Agency a través de International Editors' Co.

Primera edición en este formato: marzo de 2022

Av. Marquès de l'Argentera 17, pral.
08003 Barcelona
actualidad@rocaeditorial.com
www.rocabolsillo.com

Impreso por NOVOPRINT
Sant Andreu de la Barca (Barcelona)

ISBN: 978-84-18850-02-8
Depósito legal: B. 1924-2022

RB50028

Para Tara, que lleva escuchando mis historias para jovencitas desde que nosotras también éramos jovencitas. Cariño, hay muchísimas bromas que podría reproducir en esta dedicatoria, así que escribe tú misma la que sea tu preferida en el espacio siguiente:

¡Ja, ja! ¡Oh, Dios mío! ¡Lo mismo digo!

AULAND
MOORELAND
HONOVEN
ERALE
LEIDOLF
MONTOTH
COROA
TOBBAR
Mar Sabino
SABINO

CABERRA
N
LAMIN
CATAL
GREAT PERINE
Mar de Marang
BANNIR
ISOLTE
BORDE

De las

CRÓNICAS DE LA HISTORIA DE COROA

LIBRO 1

~~Así pues, coroanos, seguid la ley,~~

~~porque si infringimos una, las infringimos todas.~~

1

Desde el coche de caballos en marcha, miré por encima del hombro y a través de la ventanilla trasera, como si alguien pudiera seguirme. Pero enseguida me recordé a mí misma que era una idea ridícula; no quedaba nadie en Coroa que pudiera ir tras de mí. Silas —mi marido— estaba muerto, igual que mis padres. Aún tenía alguna amiga en la corte, pero eran leales al rey Jameson, y ahora aún más, después de que lo hubiera dejado plantado la misma noche en que iba a declarárseme. En cuanto a Jameson..., al menos daba la impresión de que contaba con su perdón por haberme fugado con un plebeyo, y no un plebeyo cualquiera, sino uno extranjero, nada menos. Delia Grace había ocupado mi puesto al lado el rey, y yo no tenía ningunas ganas de recuperarlo.

Y no había nadie más. Aparte de ellos, las únicas personas que me importaban iban en el carruaje, a mi lado. Aun así, seguía mirando.

—Me he pasado la mayor parte de mi vida adulta haciendo eso exactamente —comentó lady Eastoffe, mi suegra, apoyando una mano en mi muslo.

En el otro banco, delante de nosotras, dormía Scarlet, mi hermanastra. Aunque durmiera, había algo en su postura que dejaba claro que podría despertarse en una fracción de segundo, una reacción que se había vuelto habitual en ella desde el ataque.

Por la ventanilla lateral vi a Etan, que cabalgaba con ese gesto orgulloso e irritante, siempre atento. Escrutaba la fina niebla, y por el modo en que ladeaba constantemente la cabeza estaba claro que escuchaba con atención, por si percibía alguna señal de peligro.

—Espero que después de este viaje todos podamos dejar de mirar atrás constantemente —comenté.

Lady Eastoffe (ahora debía llamarla «madre») asintió, mirando a Scarlet, muy seria.

—Ojalá. Cuando lleguemos a casa de los Northcott, tenemos que encontrar el modo de enfrentarnos al rey Quinten. Cuando lo hagamos, las cosas se pondrán en su sitio… para bien o para mal.

Tragué saliva, reflexionando sobre el sentido de aquellas últimas palabras.

Un día saldríamos del palacio del rey Quinten victoriosos, o no saldríamos nunca.

Observé a mi nueva madre: aún me sorprendía que hubiera aceptado un matrimonio que la unía tan estrechamente a un rey tan malvado. Aunque lo cierto era que yo había hecho lo mismo, casi sin darme cuenta.

Los Eastoffe eran descendientes de Jedreck el Grande, el primero de la larga serie de reyes de Isolte. El actual soberano del país, el rey Quinten, era descendiente del primer hijo varón de Jedrek, pero la primogénita había sido una mujer. Los Eastoffe eran descendientes del tercer hijo de Jedreck. Solo Etan —que era de la familia Northcott— podía presumir de un linaje que se remontaba hasta la primogénita de Jedreck, su hija mayor, a la que habían despojado de sus derechos dinásticos a favor del primer varón.

Independientemente de cómo fuera la historia, Quinten

veía en todos los Eastoffe y Northcott una amenaza al reinado de su dinastía, que duraría poco, a menos que la salud de su hijo mejorara repentinamente.

Yo no lo entendía.

No entendía por qué parecía decidido a deshacerse —no, a matar— a todos los hombres con sangre real. El príncipe Hadrian no era lo que se dice un hombre fuerte, y, cuando al rey Quinten le llegara su hora —como les llega a todos los mortales—, alguien tendría que ocupar el trono. No veía qué sentido tenía que estuviera matando a todos los que podían reclamarlo legítimamente.

Silas incluido.

Así que ahí estábamos, decididas a hacer lo que fuera necesario para que las muertes de nuestros seres queridos no hubieran sido en vano, y del todo conscientes de que probablemente no lo conseguiríamos.

—¿Quién va ahí? —gritó una voz, perfectamente audible por encima del crujido de las ruedas.

Al momento, el coche se detuvo. Scarlet irguió el cuerpo de golpe, y de bajo la falda sacó un pequeño cuchillo que yo no sabía que escondía.

—Soldados —murmuró Etan—. De Isolte. —Luego se dirigió a ellos alzando la voz—: Buenas tardes. Soy Etan Northcott, soldado de su majestad…

—¿Northcott? ¿Eres tú?

Observé que Etan relajaba el gesto y fruncía los párpados, como para ver mejor. De pronto se le veía mucho más tranquilo.

—¿Colvin? —dijo él. No hubo respuesta, así que asumí que sería afirmativa—. Estoy escoltando a mi familia de vuelta a casa, procedentes de Coroa. Ya habrás oído lo de mi tío. Estoy acompañando a su viuda y a sus hijas a casa.

Se produjo una pausa: evidentemente, el mensaje resultaba confuso para el soldado, que tardó un momento en reaccionar.

—¿Viuda? ¿Me estás diciendo que lord Eastoffe ha muerto?

El caballo de Etan se puso algo nervioso, pero él enseguida reaccionó y lo mantuvo firme.

—Así es. Y sus hijos. Mi padre me confió que me encargara de traer al resto de la familia a casa.

Un silencio incómodo.

—Le damos nuestro pésame a tu familia. Os dejaremos pasar, pero tenemos que hacer un control de seguridad. Protocolo.

—Sí, por supuesto —accedió Etan—. Lo entiendo.

El soldado se acercó para examinar nuestro carruaje mientras otro lo rodeaba para mirar los bajos. Por su voz, comprendí que el que nos miraba era el que había estado hablando con Etan.

—Lady Eastoffe —dijo, mirando a Madre—, lamento muchísimo su pérdida.

—Le agradecemos la consideración. Y sus servicios —respondió ella.

—Las señoras han tenido suerte de haber dado con el mejor regimiento de Isolte —dijo, sacando pecho—. Este camino suele estar plagado de coroanos. Prendieron fuego a un poblado fronterizo hace apenas dos semanas. Si las llegan a encontrar, no sé qué les habría podido pasar.

Tragué saliva, bajé la mirada y me giré hacia el soldado. Viendo a una dama de más junto a las de la familia Eastoffe y la dirección de la que veníamos, enseguida ató cabos. Frunció los párpados y miró a Etan para que se lo confirmara.

—La viuda de mi primo Silas —explicó él.

El soldado meneó la cabeza.

—No puedo creerme que Silas nos haya dejado..., ni que se casara —añadió, mirándome de nuevo. Parecía estar ordenando sus pensamientos, asimilando que Silas se hubiera casado con una coroana, algo que le resultaba increíble.

Como a muchas otras personas.

Su gesto, en un principio sentencioso, se transformó en una sonrisa complaciente.

—No puedo culparla por querer salir de allí —me dijo, señalando con un gesto de la cabeza el camino que habíamos dejado atrás—. No sigo mucho las noticias de Coroa, pero es imposible no estar al tanto de que su rey prácticamente se ha vuelto loco.

—¿Tú crees? —dijo Etan—. Yo diría que ya lo estaba antes.

El soldado se rio.

—Tienes razón. Pero, según parece, una joven lo rechazó, y desde entonces no hay quien lo entienda. Se rumorea que destrozó uno de sus mejores barcos a hachazos, ahí mismo, en el río, a la vista de todos. También se dice que tiene otra amante, aunque no le es fiel en ningún sentido de la palabra. Y he oído que hace unas semanas prendió fuego a su castillo.

—Yo he estado ahí —dijo Etan, sin inmutarse—. Desde luego no se ha perdido gran cosa.

Tuve que hacer un gran esfuerzo para morderme la lengua. Por mal que estuviera Jameson, nunca habría destruido la obra maestra de la artesanía coroana que era el castillo de Keresken. Pero lo que más me dolía —si es que era cierto— era que Jameson se estuviera viendo con otras chicas a espaldas de Delia Grace. No podía soportar la idea de que, después de luchar tanto por conseguir lo que quería, tuviera que admitir que estaba completamente equivocada.

El soldado se rio estentóreamente ante la ocurrencia de Etan, pero luego se puso serio.

—Con lo impredecible que está últimamente, se dice que podría intentar invadirnos. Por eso tenemos que registrar los carruajes, incluso los de las personas de confianza. Jameson está tan loco que ahora mismo podría hacer cualquier cosa.

Sentí que me ruborizaba, y me dio mucha rabia. Por supuesto, nada de eso era cierto. Jameson no estaba loco, ni planeaba ninguna invasión, ni nada por el estilo…, pero la mirada desconfiada de aquel hombre me dejó bien claro que era mejor que me guardara aquellos pensamientos para mí sola.

Madre me apoyó una mano en la rodilla para tranquilizarme y habló al guardia por la ventanilla:

—Desde luego, lo comprendemos, y les damos las gracias de nuevo a todos ustedes por su trabajo. Los tendré presentes en mis oraciones en cuanto lleguemos a casa.

—Está limpio —dijo el otro soldado desde el lado contrario de la carroza.

—Pues claro que lo está —respondió el primero, en voz alta—. Son los Eastoffe, bobo. —Meneó la cabeza y se retiró—. ¡Abrid las barricadas! —les gritó a los otros—. Dejadles pasar. ¡Id con cuidado, Northcott!

Etan asintió, y por esta vez no dijo nada.

Cuando llegamos a la frontera, observé por la ventanilla y vi a decenas de hombres. Algunos nos saludaban, mostrando respeto, mientras que otros se limitaban a mirar. Temí que alguno de ellos me reconociera como la chica que supuestamente había vuelto loco a su rey, y que me exigieran salir del carruaje para volver con él.

Nadie lo hizo.

Había emprendido aquel viaje voluntariamente. Más que eso, lo había deseado. Pero aquel pequeño incidente me hizo darme cuenta de que no solo estaba cruzando una frontera; estaba penetrando en un mundo diferente.

—El camino hasta casa no debería ofrecer mayores dificultades —dijo Etan, cuando dejamos atrás a la multitud.

Scarlet volvió a meterse entre los pliegues de la falda el pequeño puñal que había escondido entre las manos. Meneé la cabeza; ¿qué pensaba hacer con él exactamente? Madre se acercó y me rodeó los hombros con un brazo.

—Un obstáculo menos; quedan muchos otros por delante —bromeó.

Y, pese a todo, me reí.

2

Tardamos gran parte del día, avanzando a un ritmo mucho más rápido que antes, en llegar hasta la mansión de los Northcott. Supe que nos estábamos acercando cuando vi que Scarlet empezaba a fijarse en las cosas que veía en el exterior y que casi sonreía, como si la región le trajera recuerdos felices.

El clima y el terreno fueron cambiando rápidamente, como activados por algún interruptor invisible. Ante nuestros ojos se extendían amplios prados, y el viento hacía bailar la hierba. Pasamos junto a varias filas de molinos que aprovechaban el viento, inagotable fuente de energía que soplaba por la carretera y se colaba en el interior del carruaje. Y también había curiosos bosquecillos con árboles arracimados, como si intentaran mantenerse juntos para estar más calentitos.

Por fin el cochero giró e introdujo el coche por entre dos hileras de altos árboles que flanqueaban una vía de ingreso a una mansión. Por entre las ramas se colaba el sol, que creaba manchas de luz en el suelo y hacía brillar hasta los objetos más anodinos. Las piedras a los lados del camino, tan erosionadas que tenían los cantos redondeados, y la hiedra que trepaba por la fachada hasta el tejado, me dijeron lo que ya sabía: que aquella familia llevaba allí una eternidad.

Madre se había pasado gran parte del camino sumida en sus pensamientos, pero por fin esbozó una tímida sonrisa. Cuando nos acercamos a la casa, asomó la cabeza por la ventanilla lateral de un modo nada acorde con su posición social, y de pronto hizo gala de una alegría inesperada.

—¡Jovana! —llamó, bajando de la carroza de un salto en cuanto nos detuvimos.

—¡Oh, Whiltley, estaba tan preocupada! ¿Qué tal ha ido el viaje? ¿Cómo estaba el camino? ¡Scarlet! ¡Qué contenta estoy de verte! —exclamó Jovana, emocionada al ver a su sobrina, sin dar tiempo a que respondieran a sus preguntas.

—Tenemos una invitada inesperada —informó Etan a sus padres, en un tono que, una vez más, dejaba patente su desaprobación.

Aun así, lo habían educado como a un caballero, de modo que me tendió una mano para ayudarme a bajar del coche. A mí me habían educado como a una dama, así que la acepté.

—¿Lady Hollis? —preguntó lord Northcott, sorprendido.

—¡Oh, lady Hollis! ¡Pobrecita! —dijo lady Northcott, corriendo a mi encuentro—. No puedo creerme que haya venido hasta aquí. ¿No tenía ningún otro sitio al que ir?

—Ahora es la señora de su propia casa —señaló Etan—. Tiene una mansión muy acogedora; yo mismo la he visto.

—¡Qué valiente ha sido! —comentó lady Northcott, pasándome la mano por la mejilla—. Por supuesto, es un placer recibirla en Pearfield. Ahora lo que necesita es descansar un poco. Aquí es bienvenida, y estará segura.

Etan puso los ojos en blanco, haciendo evidente con un solo movimiento lo que todos sabíamos: en realidad, no estábamos seguros en ningún sitio.

Lord Northcott se acercó y cogió a Scarlet de la mano.

—Te hemos preparado la habitación con vistas al bosque. Y lady Hollis, usted...

—Tú. Y solo Hollis. Por favor.

Él sonrió.

—Por supuesto. Haremos que lleven sábanas limpias a la habitación al otro lado del pasillo. ¡Qué magnífica sorpresa!

Etan refunfuñó, y su madre le dio un codazo.

Yo no hice caso.

—Vamos a poneros cómodas —insistió lady Northcott—. Estoy segura de que habrá sido un viaje pesado.

Nos llevaron al piso de arriba, a un ala de la casa con cuatro habitaciones, dos a cada lado del pasillo. A madre la llevaron a la otra ala, seguramente para que estuviera más tranquila, y a Scarlet y a mí nos dejaron con Etan, cuyo malestar era evidente. No solo iba a alojarme en su casa, sino que me tendría en la habitación de al lado. Me echó una mirada fulminante, se metió en su dormitorio y cerró la puerta con tanta fuerza que me retumbaron los huesos.

Mi habitación daba a la parte delantera de la casa; desde la ventana, veía los amplios prados que daban la bienvenida a todo el que llegaba a la finca de los Northcott. Era innegable que resultaba impresionante. Si no fuera porque me sentía absolutamente fuera de lugar, aquello casi habría podido recordarme mi casa.

Me giré a echar un vistazo a la habitación de Scarlet y vi que ella tenía vistas de la parte trasera de la finca. Lo que me pareció más interesante fue la hilera de densos árboles a un lado, entre los que habían dejado un hueco evidente por el que pasaba un viejo sendero que llevaba al bosque desde la parte trasera de la casa.

Dejé la puerta de la habitación abierta para poder oír a Scarlet, al otro lado del pasillo. Ella también tenía la puerta abierta, y la oí guardando cosas y moviendo muebles.

Scarlet tenía sus propios sonidos. Podía reconocer sus pasos y sus suspiros como los de nadie. Quizá también habría podido reconocer el paso decidido de Delia Grace entre una multitud, pero desde luego ahora conocía mucho mejor a Scarlet. Quizá fueran las semanas que habíamos pasado compartiendo cama, pero me transmitía una sensación de hogar, de seguridad. Si no tuviera claro que necesitaba algo de espacio para ella, le habría pedido compartir la habitación.

Lady Northcott apareció en el umbral de mi puerta con un montón de vestidos en la mano.

—Espero no molestar —me dijo, tendiéndome los vestidos—. He observado que no has traído mucha ropa. Pensé que podríamos adaptar alguno de estos vestidos, que quizá te sintieras más cómoda si tuvieras..., ¡no es que tus vestidos tengan nada malo! Es solo... Oh, bueno...

Me acerqué y le apoyé una mano en el hombro.

—Es un detalle por su parte. Gracias. La verdad es que se me da muy bien coser, y me irá bien tener algo en lo que concentrarme.

Soltó un suspiro que revelaba toda una vida de tristeza.

—Hemos perdido a tantos a lo largo de los años, y aún no sé qué deciros a los que quedáis...

Meneé la cabeza.

—Yo nunca he pasado por nada así... ¿Se vuelve más fácil con el tiempo?

Ella apretó los labios en una sonrisa tensa y triste.

—Ojalá pudiera decirte que sí —respondió, recolocándose los vestidos para repartir el peso entre ambas manos—. Hay buena luz en la sala de estar. ¿Quieres venir conmigo?

Asentí.

—Muy bien. Déjame solo un momento, voy a buscar a Scarlet y a Etan. Hace mucho que no los tengo a todos en la misma estancia.

No me hizo mucha gracia la idea, pero la seguí al pasillo.

ϒ

El ambiente en la sala era tenso, de eso no había duda. Etan iba de arriba abajo, frunciendo el ceño y echando miradas a la puerta, como si buscara el momento ideal para salir corriendo. Estaba claro que Scarlet también contaba los minutos para poder salir de allí, y madre hablaba con lord Northcott en voz baja, haciendo planes que no parecían dispuestos a compartir con los demás.

—Esos dos, siempre tramando algo —me dijo lady Northcott al ver que los miraba.

—¿Tramando? ¿De qué hablan? —pregunté, mirándolos alternativamente a ellos y a lady Northcott, que estaba intentando enhebrar una aguja con un gesto adorable en el rostro, concentrada y mordiéndose la punta de la lengua—. Tenga esto —dije—. Yo la enhebraré. Usted puede ir poniendo los alfileres.

Levanté la vista y vi a Etan caminando tras ella, frunciendo el ceño al vernos. Al notar su mirada me temblaron las manos. Él se fijó en el anillo que llevaba en mi mano derecha, el que me había regalado madre. Había pertenecido a Jedreck, y había acompañado a la familia Eastoffe durante generaciones.

Él consideraba que yo no debía llevarlo, y la verdad es que yo estaba de acuerdo. Pero lo llevaba con mucho cariño. Regalándome aquel anillo, ella nos había salvado la vida a las dos.

—Gracias, cariño. Oh, hablan de lo mismo de lo que hablan siempre. Ellos…

—Madre. —Etan nos miró a las dos, sin saber muy bien cómo reaccionar—. ¿Estás segura de que deberías contárselo?

Ella suspiró.

—Oh, querido, ahora está metida en esto hasta el cuello. No creo que debamos mantenerla al margen.

Etan no parecía muy satisfecho; irguió la espalda y siguió dando vueltas por la habitación como un buitre en torno a su presa.

—Desde el principio del reinado de Quinten, han pasado cosas… raras, aunque los ataques directos a los isoltanos que se atreven a mostrar su oposición no empezaron hasta la última década, más o menos. Quinten no debería reinar, y nuestra familia está buscando la mejor manera posible para sacarlo del trono.

Arrugué la nariz, al tiempo que tensaba el hilo.

—Cuando un rey es tan perverso con su pueblo, ¿no suele producirse un alzamiento? ¿La gente no se levanta en armas y toma el castillo?

—Parece lo lógico —respondió ella, con un suspiro—. Pero, como coroana, seguro que me entenderás cuando te digo que Isolte es un país de leyes. La actitud de Quinten nos hace pensar que es el responsable de todas las cosas horribles que han sucedido en Isolte, y desde luego él no hace nada para desmentirlo. Pero… ¿y si nos equivocamos? ¿Y si hay algún justiciero solitario suelto? ¿Y si es Hadrian, que al no tener medios para protegerse personalmente, está recurriendo a otros medios para librarse de sus rivales? ¿Y si se trata de algún grupo de bandidos que actúan por cuenta propia? Intentar destronar a un rey sin causa va contra la ley, pero hacerlo por una causa justa es perfectamente lícito. Si consiguiéramos pillarlo con las manos en la masa, tendríamos las pruebas que necesitamos. Contaríamos con el apoyo de miles de años de edictos y mandatos y, una vez que consiguiéramos hacer circular la verdad, el pueblo nos apoyaría. En cambio si no es así, se nos verá como usurpadores ilegítimos... Y, al momento, cualquier cosa que intentemos hacer quedará en nada.

—Entonces, ¿cuál es el problema? ¿Que nadie lo ha visto nunca en primera persona dando la orden o desenvainando una espada?

Oí los pasos de Etan alejándose por detrás de mí, y luego cada vez más lejos, mientras recorría la sala de punta a punta. Respiré hondo, sintiéndome mucho más tranquila ahora que no lo tenía encima. Lady Northcott asintió.

—Y si alguien puede dar con el modo de conseguirlo, son esos dos, las mentes más brillantes con las que contamos para trazar cualquier plan.

—Bueno, entonces al menos estamos en buenas manos. ¡Me alegro de no tener ese tipo de responsabilidad! Desde luego, yo no cuento con esa clase de talento.

—Tú tienes tus propios talentos, Hollis —respondió ella, sonriendo—. Ya he visto que los sabes usar. Y eso es lo que importa. Todos tenemos que emplear lo que tenemos a nuestra disposición para mejorar las cosas.

—Desde luego.

Miré a Etan, al otro lado de la sala. Silas me había asegurado que Etan también era un hombre de gran talento. Sabía que era un soldado, y parecía saber mantener la calma. Carecía de muchas otras cualidades admirables, entre ellas la amabilidad, pero no se podía negar que era ágil de mente. Aunque eso no hacía que lo admirara.

Apuró su bebida y dejó su copa en la mesa con tanta fuerza, que el ruido se oyó en toda la sala. No pude evitar girarme, y vi que me escrutaba con la mirada. Había algo en su forma de mirar que me helaba la sangre. Con una sola mirada, Etan Northcott dejó absolutamente claro que me odiaba y que no veía el momento de que me fuera de aquella casa.

Pero él no era el dueño de la casa y, por lo que veía, sus padres estaban encantados con mi presencia. Y en ese momento, como si leyera mis pensamientos y quisiera demostrarme que formaba parte de todo aquello, lord Northcott se puso en pie y se acercó a nosotras.

—¿Ya te ha informado mi esposa del lío en que te has metido entrando en esta casa? ¿O de los planes de los que ahora formarás parte? —preguntó.

Y su movimiento pareció activar a su hijo, que se puso a dar vueltas por la sala otra vez.

—Ya me lo imaginaba —dije, sonriéndole—. Pero no era consciente de todo lo que han trabajado para intentar enmendar la situación. En ese aspecto, parece que tengo mucho que aprender.

Se sentó en una gran butaca, enfrente de mí. Madre se puso en pie y apoyó las manos en el respaldo de la butaca.

—Pues no se me ocurre mejor ocasión para contarte lo que sabemos, lo que sospechamos y lo que tenemos entre manos.

—¿Estáis seguros de que es conveniente? —susurró Etan, aunque yo lo oí perfectamente. Ya era la segunda vez que manifestaba en público que yo no era digna de confianza.

Lord Northcott le sonrió, sin juzgarlo y sin corregirlo, simplemente manifestando lo que, por otra parte, era una obviedad:

—Sí, yo creo que mi nueva sobrina debería quedar incluida en nuestros planes, por delicados que sean.

Etan posó de nuevo la vista en mí, y vi claramente la sospecha en sus ojos.

—Lady Northcott ya había empezado a explicarme algo —dije—. Parece que lo que necesitamos son pruebas de que el rey Quinten está detrás de los actos de los Caballeros Oscuros para poder derrocarlo, ¿no?

—Sí, básicamente. Así que, de momento, nuestra estrategia consiste en encontrar pruebas —respondió lord Northcott, con un suspiro—. No es que no lo hayamos intentado antes, por supuesto —dijo, dirigiéndose sobre todo a mí—. Hemos intentado sobornar a guardias. Tenemos amigos que viven en la corte, que tienen los ojos bien abiertos. Tenemos..., bueno, más apoyos de los que pueda parecer. Pero hasta ahora no hemos tenido mucho éxito. —Nos miró a todos, uno por uno—. Y ahora que los ataques se han vuelto tan violentos y tan frecuentes, tengo la impresión de que, hagamos lo que hagamos, nuestro próximo movimiento podría ser la última oportunidad que tenemos para poner al descubierto a Quinten. Es en lo que debemos que trabajar todos. ¿Qué sabemos ya? ¿Quién podría ayudarnos? Y eso me recuerda... ¿Etan? —Se giró hacia su hijo—. ¿Has oído algo en la frontera con Coroa? Supongo que tus colegas soldados te habrán hablado sin tapujos.

Él asintió lentamente, pero le costó un poco responder.

—Pues sí. Parece ser que la reina ha perdido el hijo que esperaba y que van a ir a por otro.

Lo miré, malhumorada por tener que dirigirme a él para obtener respuestas que solo él podía darme.

—¿Cómo está Valentina?

Me miró con extrañeza y se encogió de hombros.

—No suelo preguntar cómo se encuentran mis enemigos.

Evidentemente, en esa categoría también entraba yo.

—No es más que una pobre chica —repliqué—. Ella no ha hecho nada.

—Es la mujer de mi enemigo. Está intentando ampliar la estirpe de la familia real más despiadada en la historia dinástica del país. Desde luego, no es una amiga.

—Es mi amiga —murmuré.

No se molestó en responder y siguió exponiendo las novedades:

—Quinten está intentando que la gente continúe pensando que la reina sigue embarazada, pero las mujeres de la corte dicen que ya no tiene antojos y que está activa, así que no creo que sea verdad.

Tragué saliva, imaginándome a Valentina sola en su castillo, probablemente dando gracias de que le hubieran dado otra oportunidad, pero a la vez aterrada pensando en qué sería de ella si las cosas no salían bien. No creí que toda esa presión fuera a ayudarla a conseguirlo.

—Últimamente, el príncipe Hadrian ha estado enfermo. Bueno, más de lo habitual. Ha estado unos días apartado de la corte, y cuando regresó, apenas podía caminar. No sé qué es lo que cree que va a conseguir el rey Quinten, mostrando a Hadrian en público cuando está tan débil.

—Pobre chico —dijo lady Northcott—. No sé cómo ha conseguido resistir todo este tiempo. Será un milagro si llega vivo al día de su boda.

—¿Para cuándo está programada? —preguntó madre.

—En principio, para inicios del año que viene.

—Aún no me creo que le buscaran una novia en otro país —comentó lord Northcott.

—¿Tan extraordinario es que el príncipe Hadrian se case con alguien de otra casa real? —pregunté.

—Sí —respondieron todos, casi al unísono.

Levanté las cejas, asombrada.

—Vaya… Antes de abandonar la corte, me encontré con que prácticamente me había convertido en objeto de un contrato. Mi primera hija (suponiendo que primero viniera un hijo que heredara el trono) debía casarse con el hijo mayor de Hadrian. Jameson me dijo que no era normal que el rey Quinten acordara algo así, que alguien de la familia real de Isolte se casara con una persona de otro país. Supongo que tenía razón.

Lord Northcott se quedó mirándome.

—¿Es eso cierto?

Recorrí la sala con la mirada y vi que todos estaban observándome, atónitos.

—Sí. Jameson y Quinten firmaron el contrato, pero Hadrian, Valentina y yo estábamos presentes. Supongo que ahora no valdrá para nada, dado que mi nombre no figuraba en él. O quizá lo hagan efectivo con Delia Grace. ¿Por qué? ¿Qué pasa?

—¿Por qué haría eso? —se preguntó lord Northcott.

—Legitimidad —respondió Etan al momento—. Quieren incorporar sangre real a su dinastía para que nadie pueda cuestionar a sus descendientes como legítimos soberanos. Y a cambio ofrece a los coroanos una alianza con Isolte, el país más grande del continente. —Etan meneó la cabeza—. Es brillante.

Se hizo un largo silencio mientras todos asimilaban aquella noticia. El rey Quinten estaba haciendo planes para protegerse a sí mismo y a su dinastía, y mientras tanto nosotros seguíamos sin tener ni idea de cómo atacarle.

—¿Y no podemos hacer nada al respecto? —pregunté, en voz baja.

Lord Northcott tenía el ceño fruncido y tamborileaba con los dedos de ambas manos.

—No lo creo, pero es bueno estar al corriente. Gracias, Hollis. ¿Hay algo más que se te ocurra, algo de ese viaje en particular que creas que podría sernos útil?

Tragué saliva.

—Siento decepcionaros, pero me insistían mucho en que me mantuviera lejos de Quinten durante su visita, así que hablamos muy poco.

Pero entonces me vino a la cabeza un intercambio de palabras rápido que sí tuvimos, que me llegó claro y potente como un puñetazo en el pecho.

—¡Oh! —exclamé de pronto, con una repentina sensación de frío que me inundó el cuerpo. Aquello era demasiada coincidencia.

—¿Qué? —preguntó Etan—. ¿Tiene otros planes?

Negué con la cabeza, y no pude evitar que los ojos se me llenaran de lágrimas.

—Me advirtió.

—¿Quién? ¿Quinten? —preguntó madre.

Asentí. Sentía las lágrimas cayéndome por el rostro mientras recordaba el Gran Salón del castillo de Keresken. Yo tenía en la mano la corona que Silas había hecho. Él estaba de pie, a mi lado, cuando ocurrió aquello.

—Quinten había observado que me había encariñado con vuestra familia… y…, no recuerdo las palabras exactas, pero me dijo que fuera con cuidado, o podía acabar quemándome.

Madre se cubrió la boca con la mano, horrorizada.

Él lo sabía. Ya entonces sabía que iba a matarlos, y se imaginaba que yo estaría lo suficientemente cerca de los Eastoffe como para correr peligro.

—Padre, ¿con eso no basta? —preguntó Etan.

—Me temo que no, hijo mío. Es un ladrillo, pero necesitamos un muro.

Me quedé allí sentada, aún atónita por las palabras de Quinten, intentando pensar alguna otra cosa que hubiera podido decir.

—¿Estás bien, Hollis? —me preguntó Scarlet, en voz baja. Había estado tan callada que casi se me había olvidado que estuviera allí. Pero ya sabía lo que me pasaba. Ella también tenía pensamientos que la perseguían.

Asentí, aunque era mentira. A veces tenía la sensación de que Silas llevaba años muerto, de que era un capítulo de un libro que había acabado de leer mucho tiempo atrás. Pero otras veces sentía el dolor de su pérdida como algo tan nuevo que el corazón se me abría por la mitad y me sangraba por un amor tan joven que apenas había tenido tiempo de echar a andar.

Contuve las lágrimas. Ya lloraría cuando estuviera sola. No era el momento.

—Hablando del ataque, hay otro detalle que me preocupa.

Levanté la vista y miré en dirección a Etan, que jugueteaba con los botones de sus puños, como si necesitara algo con lo que tener las manos ocupadas.

—¿Cuál? —preguntó madre.

—Los soldados no tenían ninguna noticia al respecto.

—¿Y qué?

—Me parece que el hecho de que el rey haya conseguido eliminar casi por completo a toda una rama de la familia es algo que debería saber todo el mundo. Si no ya por su propia petulancia, por el miedo de los demás. Pero no he oído nada durante mi viaje a Coroa, y hoy, cuando hemos entrado en Isolte, tampoco sabían nada en la frontera. —Meneó la cabeza—. Creo que deberíamos estar en guardia.

Lord Northcott le miró, serio y tranquilo:

—Siempre estamos en guardia.

—Sí, pero esto es sorprendente —insistió Etan, dirigiéndose a madre—. Ahora mismo deberían estar circulando rumores. Y no los hay. Si el rey está silenciando a la gente, perfectamente podría ser que fuéramos su próximo objetivo.

—Estás dejándote llevar por la imaginación, hijo. Siempre hemos desconfiado de lo que pueda hacer el rey, pero no hay motivo para que salgamos corriendo presas del pánico. Seguimos siendo descendientes de una princesa, no de un príncipe. La reina Valentina aún es joven, y el príncipe Hadrian sigue vivo. Yo creo que en el futuro más inmediato el rey tendrá la mente puesta en ellos, no en nosotros. De momento, seguiremos buscando pruebas irrefutables. No nos esconderemos, y no huiremos.

Etan resopló, pero no replicó. Al menos parecía que respetaba lo suficiente a su padre como para obedecer. Por lo que yo había visto, no sentía demasiado respeto por nadie más.

Pero una parte de mí comprendía perfectamente la preocupación de Etan. Si los Caballeros Oscuros podían hacer gala de sus logros mostrando los cadáveres de sus enemigos ante el palacio del rey Quinten, ¿por qué no había nadie que hablara de ello?

Había demasiadas preguntas sin responder sobre nuestra situación, y ninguno de nosotros sabía cómo podíamos contestarlas.

3

Era medianoche, y yo seguía sin poder dormir. Una de las cosas que echaba de menos del castillo de Keresken —y que en los últimos días había acabado irritándome tanto— era el flujo constante de sonidos. Para mí, los murmullos de las criadas, el ruido de pasos, e incluso el traqueteo de los coches de caballos a lo lejos acabaron por convertirse en un arrullo, y en las semanas desde mi marcha aún no me había acostumbrado a su ausencia. A veces me sorprendía a mí misma aguzando el oído con la esperanza de descubrir algo que se convirtiera en la melodía de una noche sumida en el silencio. Pero ese algo no llegaba.

En algunos momentos, cuando el mundo estaba demasiado en silencio, me venían a la cabeza otros sonidos, sonidos que había inventado yo misma. Oía a Silas gritando. Le oía suplicando. O, en ocasiones, oía los gritos de mi madre. Mi mente intentaba llenar los espacios de lo que no sabía, imaginando lo peor. Hacía esfuerzos para intentar pensar positivamente. Me decía que mi madre se habría desmayado de miedo, y que mi padre estaría de rodillas en el suelo, angustiado, sujetándole la mano, de modo que no habría podido ver venir la muerte, y ella no habría podido sentir nada.

En cuanto a Silas, no podía imaginar que no mirara de frente a lo que fuera que se le viniera encima. Si gritó, no sería pidiendo clemencia, ni de miedo. Sería al caer, luchando hasta el último aliento.

Me revolví en la cama. Sabía que mi mente no dejaría de buscar posibles indicios en la visita del rey Quinten al palacio, pero no había nada más que encontrar. Por lo menos, eso me parecía. Aunque no por ello dejaba de intentarlo, de desear caer dormida, hasta que me di cuenta de que tenía demasiadas cosas en la cabeza que me lo impedían, entre otras el hecho de que en la habitación de al lado dormía alguien que me odiaba.

Por fin salí de la cama, hice acopio de valor y crucé el pasillo para entrar en la habitación de Scarlet. Ella tampoco dormía bien.

—¿Quién anda ahí? —preguntó, levantando el cuerpo como un resorte al oír el crujido de la puerta. No tenía dudas de que ya tendría su cuchillo en la mano.

—Soy yo.

—Oh. Perdona.

—No, no te culpo. Yo tampoco estoy tranquila, precisamente.

Me subí a la cama y me puse a su lado. Era una sensación familiar. Al abandonar la corte, cuando me acogieron los Eastoffe, Scarlet había compartido su habitación conmigo. Eran días agradables: las dos acurrucadas en una cama tan necesitada de reparaciones como el resto de la casa, despertándonos al oír la respiración lenta y soñolienta de cualquier otra persona, que nos recordara que no estábamos solas.

Solíamos cantar en voz baja y nos reíamos con historias antiguas y con los rumores de la corte. Yo era hija única. Verme de pronto integrada en una familia con hermanos mayores y menores —y sobre todo con una hermana— era un sueño hecho realidad.

Pero ahora el ambiente era muy diferente.

—No dejo de pensar en la visita de Quinten a Keresken, intentando recordar cualquier cosa que dijera o hiciera y que pudiéramos usar como prueba... Pero no me viene nada a la cabeza, y eso me está volviendo loca.

—Ah, bueno, pues bienvenida al club —dijo, mientras me instalaba bajo las mantas—. Quizá tendríamos que haber pedido una habitación compartida. Después de haber vivido en tan poco espacio en el castillo, me he dado cuenta de lo mucho que me gusta tener a mi familia cerca. Para mí fue una suerte que tuviéramos que volver a compartir un espacio tan reducido en Abicrest.

—Lo mismo pensé yo. Pero no quería parecer maleducada. Tu tía y tu tío han sido muy generosos.

—Les gustas mucho —dijo ella—. La tía Jovana no deja de decir que animas cualquier lugar con tu presencia.

Solté una risita.

—Mis padres tenían otra manera de definirlo, pero me alegro de gustarle. Ojalá Etan dejara de mirarme con esa rabia.

—No le hagas caso.

—Lo intento, te lo juro. —Suspiré y le planteé por fin la pregunta que realmente me importaba—: ¿Tenemos alguna oportunidad, Scarlet? Tú llevas con esto toda la vida, así que conoces la situación mejor que yo.

Scarlet tragó saliva.

—Contamos con muchos apoyos. Hace años que tenemos prácticamente un ejército preparado para atacar. Sé que la tía Jovana te ha hablado de la ley...

—Sí que lo ha hecho. No sé si lo entiendo muy bien, pero a mí me parece que vivir así debe de resultar agotador.

—Si estuviéramos equivocados, supondría la muerte para todos los implicados —respondió ella, en voz baja y muy seria—. Y si no actuamos lo suficientemente rápido, los Caballeros Oscuros podrían venir y acabar con nosotros antes de que pudiéramos hacer nada. Quiero hacerle pagar por lo que ha hecho…, pero tenemos que hacerlo bien, o no servirá de nada.

Suspiré otra vez. Me costaba imaginar que hubiera un modo correcto de enmendar tanto mal, no obstante, si la familia decía que había que hacerlo así, tendría que hacerles caso.

—¿Sabes por qué nos fuimos de Isolte? —preguntó Scarlet.

—Silas me dijo que fue idea suya, y madre, que os habían matado el ganado… Yo también me habría ido.

Ella meneó la cabeza.

—Recuerda… Si sacamos a Quinten del trono, alguien tiene que ocupar su puesto… Alguien que lleve la sangre real de Jedreck.

Levanté la cabeza, combinando las piezas mentalmente, sin acabar de creerme que no hubiera pensado en ello antes.

—¿Silas?

Scarlet asintió.

—El primogénito de la línea paterna… Era de él de quien hablaba la gente. Bueno, la gente que se atrevía a hablar.

Dejé caer la cabeza, pensando en lo egoísta que había sido. La muerte de Silas Eastoffe había sido una gran pérdida para todo un país. Me pregunté si era cierto lo que decía Etan, si la gente seguía sin saber que había muerto. Me pregunté si habrían empezado a poner sus esperanzas en…

—¡Scarlet! —exclamé—. ¿Me estás diciendo… que podrías ser reina?

Ella suspiró, mientras retorcía la manta con los dedos.

—He rezado para que no lleguemos a eso. Si hemos regresado, es en parte para dar nuestro apoyo al tío Reid. Él es quien tendría que ser rey.

—Pero…, pero tú podrías gobernar. Podrías moldear el mundo a tu gusto.

—Tú también tuviste esa opción. Por lo que decía Jameson en esa carta que envió antes de que nos fuéramos, parecía que aún tenías opciones. ¿Volverías atrás si pudieras?

—No —respondí enseguida—. Pero yo no iba a ser la soberana del país. Tú podrías serlo.

Se encogió de hombros.

—Puede que el pueblo me apoye, pero desde luego no está tan claro como en el caso de Silas.

Un escalofrío me recorrió la espalda.

—¿Así que él lo sabía? ¿Sabía que contaba con el apoyo del pueblo?

Scarlet tragó saliva.

—Empezamos a hacer planes unos cuatro meses antes de llegar a Coroa. Ya puedes imaginarte que madre y el tío Reid conspiraban aún más que ahora. Aunque no teníamos las pruebas que necesitábamos, pensábamos que podíamos dar el paso porque contábamos con el pueblo. Están listos..., pero también se sienten aterrados. Lo que pasa es que esos rumores de que Silas iba a tomar el palacio al asalto nos pillaron por sorpresa. Una vez que empezaron a extenderse, no pudimos pararlos. Él no estaba preparado; ninguno de nosotros lo estaba. En la corte empezaron a circular rumores, miradas de advertencia... Teníamos la sensación de que, pese a que aún no había pasado nada, solo con los rumores Silas ya estaba en la diana. Así que les rogó a madre y a padre que huyéramos, para salvar la familia. Ellos esperaban que volviéramos algún día, y yo creo que a Silas le habría encantado ver a Quinten responder ante la justicia, pero quería lo que queríamos todos: una oportunidad para vivir. Juró que no volvería nunca. Y luego te conoció a ti. Tenía todos los motivos del mundo para quedarse en Coroa.

Yo no tenía muy claro cuándo había empezado a llorar, pero ya notaba el sabor de las lágrimas en la boca.

—Pero eso no cambió las cosas —dije—. Perdió la vida igualmente. A Quinten no le haría ninguna gracia que se fuera.

—No —respondió ella—. A Quinten no hay quien lo pare. Quizás eso debía habernos hecho desistir. Pero a mí solo me hace desear más aún hacérselo pagar.

Volví a estirarme, temblorosa. No dejaba de pensar en Silas, tan seguro de sí mismo, tan divertido y tan listo. Pensé en cómo me había acogido, pese a que tantos de sus compatriotas me detestaran. Pensé en cómo buscaba siempre la paz, por todos los medios posibles.

Habría sido un rey maravilloso.

Pero él no quería ser rey. Quería otros títulos. El de marido, el de padre, el de amigo. Y Quinten le había arrebatado todo aquello de un manotazo.

—¿Cómo podemos arreglar las cosas, Scarlet? ¿Cómo podemos conseguir que pague?

—Solo se me ocurre un modo para asegurarnos de que no vuelva a ocurrir algo así —dijo sin alterarse.

—¿Matarlo? —pregunté, sin pensarlo siquiera. No me parecía que la respuesta a la muerte fuera más muerte.

—Y a Hadrian. Y probablemente a Valentina, por si acaso. Tendríamos que eliminar a toda la familia.

Solo pensarlo, casi me quedo sin respiración.

—Yo no podría levantar la mano contra Valentina. Aún la considero una amiga.

Scarlet alzó la mirada. Era como si estuviera buscando las palabras.

—No tengo muy claro que sea posible separarla de la familia real. Es la reina.

—Yo… Scarlet, no puedo.

Tras una pausa, se giró para mirarme a los ojos.

—¿Puedo preguntarte algo que no tiene nada que ver con esto?

—Sí, claro.

—¿Tú crees que te volverás a casar algún día?

Levanté la mano y me toqué el pecho. Seguía llevando en mi mano derecha, con orgullo, el anillo que madre me había regalado, señal de mi vínculo con mi nueva familia, pero llevaba colgando los anillos de Silas de una cadena, cerca del corazón. Eran las únicas joyas que me interesaban.

A veces me preguntaba si debería tener el anillo de mi padre, el que había pasado de generación en generación de la antigua aristocracia coroana. Pero no podía saber con seguridad cuál de los anillos quemados que habíamos encontrado entre los restos del incendio era el suyo, así que probablemente no me habría sentido a gusto.

—No lo sé. Silas dejó huella en mí. No sé si quiero que algún día llegue otra persona. Por mucho tiempo que pase, no creo que olvide nunca lo que hizo conmigo, lo que hizo por mí. Probablemente, no sea eso lo que parece ahora mismo, pero yo siempre sentiré que me ha rescatado.

Scarlet guardó silencio un rato.

—Yo creo que le gustaría saber que es así como te sientes, incluso después de todo lo ocurrido. Y creo que también le alegraría saber que no quieres hacerle daño a nadie. Él era así.

—Lo sé —dije, sonriendo—. Aún me quedaban muchísimas cosas que aprender de él, pero conocía bien su carácter, y eso lo llevo conmigo. —Tragué saliva, sin tener muy claro si sería capaz de seguir hablando de él—. ¿Y tú? ¿Tú quieres casarte?

—No sé si podré. Ahora ya no lo sé —confesó—. Tengo la sensación de estar rodeada por un muro, y no sé si eso cambiará con el tiempo.

—Es un buen modo de describirlo. Se hace duro pensar que puedas abrirte a alguien como yo me abrí a Silas… Antes de emprender el viaje, fui a visitar su tumba. Le dije que tenía la sensación de que tenía que dejarle marchar, en cierto modo, para poder seguir viviendo.

—Sí, es así, más o menos —dijo Scarlet, sin más.

Me la quedé mirando.

—¿Cuántas personas has perdido tú?

—Las suficientes como para saber que tengo que hacer de ellas una referencia, no un lastre.

Alargué la mano y le cogí la suya.

—Por favor, no me dejes, Scarlet.

—No pienso hacerlo. Pienso seguir en pie hasta el final. Libre.

—Bien. Eso quiero verlo.

De pronto, me sentí agotada. Cansada de ocultarme, de correr, de intentar ser tantas cosas diferentes. Me acerqué a ella, dejando la mano donde Scarlet pudiera cogerla. Ella entrelazó sus dedos con los míos, y por fin me sentí segura y pude dormir.

Por la mañana me desperté con el canto de los pájaros y me di cuenta de que Scarlet y yo dormíamos espalda contra espalda; el calor que nos dábamos mutuamente hacía más soportable el frío aire del amanecer. Hacía tiempo que no me sentía tan bien, y no tenía deseo alguno de salir de la cama.

Como si me leyera el pensamiento, Scarlet murmuró:

—Ahora tendríamos que bajar a desayunar, ¿no?

—Me he traído parte del dinero que me dio Jameson —dije—. Podríamos robar unos caballos y volvernos cíngaras.

—Yo podría fingir que sé leer el futuro en las hojas del té.

—Si puedo bailar la alemanda, seguro que también puedo aprender a bailar como ellos.

—Seguro que sí. Se te da muy bien el baile.

—A ti también. Daríamos un buen espectáculo.

—Pues sí —dijo ella, y luego hizo una pausa—. Pero ¿no hay leyes contra los vagabundos?

—Probablemente... Así que solo hay dos opciones: o la cárcel, o el desayuno.

Scarlet suspiró.

—¿Será buena la comida de la cárcel?

—Bueno... —Me quedé pensando—. Si tengo que escoger entre compartir el desayuno con Etan y la cárcel, me conformaré con lo que me den de comer.

4

Mientras retorcía los brazos adoptando posiciones incómodas para abrocharme el vestido, recordé el tiempo en que las jóvenes se disputaban el puesto de dama de cámara para ayudar a vestirme. Hice lo que pude, pero iba a necesitar que Scarlet me echara una mano para subirme las mangas.

Había pasado muchos años viviendo en el castillo de Keresken, pero luego me había adaptado a despertarme por las mañanas en Abicrest. Y después, cuando tuve que dejarlo, me acostumbré a despertarme en Varinger Hall. Y ahora ahí estaba, en Pearfield, despertándome en un lugar nuevo, con nuevas normas y nuevos ritmos. Antes incluso de que se iniciara la actividad en la casa.

Salí de mi habitación, con la esperanza de encontrarme a Scarlet esperando. Ella no había llegado aún, así que me puse a caminar por el corto pasillo, paseando la vista por la casa. No quería criticar la arquitectura, aunque me parecía muy simple. Robusta, pero simple. ¿Por qué no había tallas en las vigas? ¿Por qué no habían decorado las paredes con pinturas? Había muchísimo espacio. Intenté reprimir mis ideas críticas. Quizás hubiera cierta belleza en aquellos espacios vacíos, como la eterna tentación presente en la página en blanco.

De pronto, Etan salió de su habitación, ajustándose los

puños de la camisa e interrumpiendo mis pensamientos. Se paró de golpe cuando me vio, frunció los párpados y me examinó de arriba abajo. Aquellos ojos eran tan fríos, de un color gris tan azulado, que me recordaban el cielo cuando se acercaba una tormenta. Y empezaba a crecerle una barba de tres días que le daba un aspecto descuidado, o desquiciado, o furioso… No tenía claro qué adjetivo usar, pero desde luego no era nada positivo.

—Llevas las mangas sin abrochar —comentó.

—Lo sé. Necesito otro par de manos, y no tengo doncella.

—Podías pedir que te mandaran una —dijo él, cruzándose de brazos.

No me molesté en decirle que el día anterior había pedido que me trajeran agua para lavarme y que no me había llegado. Y que al ver que no venía nadie a preparar mi habitación para la noche, había tenido que encender la chimenea yo sola antes de acostarme. No lo hice muy bien, pero sí lo mejor que supe.

—Ya lo he hecho, pero no ha venido nadie.

—No puedo culparlas. Desde luego, no podrías pagármelo. —Se acercó y se me plantó delante—. ¿Cuál es tu secreto? Lo descubriré antes o después, pero nos ahorraríamos algo de tiempo si me lo dijeras ya.

—¿Perdona?

—Sé quién eres y sé cómo te criaste, y sé que eres mucho más leal a Coroa que a Isolte. ¿Por qué estás aquí? ¿Cuál es el verdadero motivo?

Me lo quedé mirando, atónita.

—Mis padres han muerto. Mi marido ha muerto. Esta es la única familia que tengo. Por eso estoy aquí.

Él meneó la cabeza.

—He visto cómo te miraba Jameson Barclay. Si volvieras a ese castillo, te recibiría con los brazos abiertos.

—Ya tiene a otra entre sus brazos. Ya no hay lugar para mí en la corte de Jameson.

—Lo dudo —dijo, mirándome de arriba abajo.

Levanté las manos en señal de rendición.

—No sé qué es lo que pretendes, Etan. Silas fue mi último secreto. Así que, creas lo que creas que está sucediendo, te equivocas.

—Te estoy observando —me advirtió.

—Ya me he dado cuenta —repliqué.

Justo en ese momento, Scarlet salió de su habitación, y vi cómo levantaba las cejas al darse cuenta de lo cerca de mí que estaba Etan. Él me miró con cara de rabia y bajó la escalera. Extendí los brazos, mostrándole las mangas a Scarlet. No necesitó que se lo pidiera.

—¿A qué ha venido eso? —preguntó, atándome los minúsculos lacitos.

—Etan me está observando —respondí—. No lo soporto.

Scarlet suspiró.

—Etan puede ser muy… vehemente.

—¿Vehemente? ¿Así lo ves tú?

—Pero también puede ser muy amable, e incluso divertido, cuando llegas a conocerlo.

Resoplé, boquiabierta:

—¿Amable? ¿Divertido?

—Ya sé que ahora no te lo parece. Todos gestionamos el dolor de un modo diferente. Etan lo hace con rabia. Pero no se da cuenta de que la descarga contra quien no debe.

Me quedé pensando en eso.

—¿Y yo tengo que soportarlo hasta que se dé cuenta?

Asintió.

—Tendrás que hacerlo. Cambiará cuando te vea como te vemos nosotros, y, francamente, vuestra relación ahora mismo es la menor de mis preocupaciones.

La tensión le estaba afectando, y vi que respiraba hinchando el pecho rápidamente, y que las manos le temblaban en el momento en que me ataba el último lacito. No estaba allí: tenía la mente en Abicrest, en el momento del ataque.

—¿Quieres que hablemos de ello?

—No —dijo, meneando la cabeza—. Aún no.

—Bueno, si un día decides que estás lista…

—Serás la primera en saberlo. Los otros no me entenderían, y madre no podría soportarlo. Pero no ha llegado el momento.

La cogí de las manos para tranquilizarla.

—No pasa nada. Ya lo arreglaremos, Scarlet. De algún modo, encontraremos una solución.

Asintió y respiró hondo varias veces. No podía esconder por completo sus sentimientos, pero tampoco podía mostrar lo mucho que le dolía aquello. En cierto modo, me sentí privilegiada al ver que se sinceraba conmigo.

—Ya estoy lista. Vamos —dijo, y bajamos a la planta baja, cogidas del brazo—. Estaba pensando que quizá debería irme al campo, al norte, lejos de todo.

—No te culpo. Después del ajetreo de la vida en la corte, no estaría nada mal disfrutar de un poco de calma. Ya sabes, después de que consigamos derrocar a un rey, imponer la justicia y todo eso —bromeé.

Ella hizo una mueca.

—Buscaré una casa y te guardaré una habitación para ti, por si al final te casas y algún día necesitas un lugar al que ir cuando no soportes más a tu marido.

Me reí y la agarré con más fuerza del brazo.

—A lo mejor acabamos convirtiéndonos en viejas solteronas.

—Con un montón de cabras —apuntó.

—Me gustan las cabras.

—Entonces no hay más que hablar.

Cuando llegamos al comedor, madre ya estaba sentada, al igual que lord Northcott. Estaban hablando en voz baja, pero cuando nos vieron llegar, levantaron la mirada y nos sonrieron.

—Buenos días, chicas —nos saludó alegremente lord Northcott.

—Parece que habéis descansado.

—Entonces quiere decir que somos muy buenas actrices —bromeó Scarlet.

Esperaba que Etan ya estuviera allí, pero debía de tener gestiones que hacer, porque entró en el comedor después de nosotras.

Saludó a su padre y se sentó frente a mí, como si no quisiera darme un momento de paz.

En la mesa había potaje, quesos y pan. Vi que Scarlet se servía en el plato, e hice lo mismo. Una criada puso cerveza en las copas de Etan y de Scarlet. Yo levanté la mía para que me sirviera a mí también. No me quedó claro si no me vio o si decidió no hacerme caso.

Volví a dejar la copa en la mesa. Etan observó todo el proceso y, por algún motivo, ver que había presenciado el desaire que me habían hecho me hizo aún más daño que el acto en sí mismo, y sentí que me ruborizaba. Bajé la vista y comí en silencio.

—¡Ah! ¡Qué alegría ver la mesa llena de gente! —dijo lady Northcott, entrando en la sala e infundiendo alegría al ambiente.

Me la quedé mirando mientras rodeaba la mesa para darle un beso en la mejilla a su marido y otro en la frente a su hijo. Etan no se apartó ni se mostró molesto como solía hacer, sino que pareció agradecer aquel breve contacto. Yo no pude evitar sonreír, y me dolió un poco pensar que mi madre nunca había hecho algo así conmigo. Ojalá hubiéramos tenido más tiempo.

—Bueno, Hollis, creo que hoy tenemos que llevarte a dar un paseo por la finca —dijo, sentándose y girándose hacia mí.

—Me encantaría, lady Northcott —respondí, irguiendo la espalda.

—Bien. Y he estado pensando… —dijo, cogiendo la cuchara— que Hollis ahora forma parte de la familia.

—Por supuesto —confirmó lord Northcott—. Del todo.

—Pues deberíamos dejarnos de todo eso de lord y lady. Hollis, ¿puedes llamarnos simplemente tía Jovana y tío Reid…, como hace Scarlet?

Todas las miradas se posaron en mí, expectantes. Era una oferta tan generosa y encantadora que, aunque me sentía algo incómoda, no pude decir que no.

—Si os parece bien…

Mi nueva tía Jovana sonrió complacida, pero no pude verlo. Lo único que veía era la mirada de desdén de la criada y la de decepción de Etan. No era su típica expresión rabiosa, sino algo más doloroso. Como si me hubiera infiltrado en algo que era suyo, intentando arrebatárselo.

—Estamos encantados de que estés con nosotros, Hollis —prosiguió ella, colocándose la servilleta sobre las piernas—. Es un cambio maravilloso. Estamos tan acostumbrados a perder seres queridos… Mis encantadores sobrinos, mis dos niñas…

Tragué saliva al oír aquello, consciente de la causa de su dolor.

—¡Por fin hemos incorporado a alguien!

—Mira por dónde —dijo madre, sumándose a la celebración.

El tío Reid sonreía, y hasta Scarlet parecía contenta. Pero no podía desconectar de las frías oleadas de rabia que me llegaban de Etan. Si lo de antes había sido pasarse de la raya, esto iba aún mucho más allá.

5

—Estos árboles fueron plantados por los primeros Northcott que vivieron en Pearfield —me explicó la tía Jovana, señalando la fila de árboles que recorrían el extremo trasero de la finca—. Tenemos suerte de que sean tan fuertes. Protegen la casa durante la temporada de viento y nos permiten gozar de cierta intimidad.

—Veo que dejaron un hueco entre los árboles. Ahí falta uno —bromeé, señalando el espacio por el que pasaba el sendero.

Ella se rio.

—Ese lo sacamos nosotros mismos hace unos veinte años. Ese camino da fácil acceso a los que vienen a trabajar en la finca, que empieza a partir de esa línea. Ya verás lo importante que es mañana; es el día del pan.

Yo no sabía qué era el día del pan, pero se suponía que lo descubriría por la mañana. Scarlet, que iba cogida de mi mano, me la apretó para llamar mi atención. Sonrió, y vi que intentaba tranquilizarme; Etan iba unos pasos por detrás de nosotras.

Desde luego, él no necesitaba dar un paseo por sus terrenos; más bien daba la impresión de que no iba a permitir que yo fuera por ahí sin controlarme. ¿Pensaba quizá que habría conseguido introducir un hacha en la finca, o algo así? ¿Que iba a sacarme un ejército de la manga? Suspiré, intentando no hacer caso, aunque no lo conseguí del todo.

—Y cuando lleguemos al lateral de la casa, tendremos una vista excelente del jardín. Colocamos grandes arbustos en los bordes para protegerlo del viento, y así las plantas de flor se desarrollan mejor. Este año han dado unas flores estupendas.

Miré las flores con cierta nostalgia. Echaba mucho de menos el jardín de Keresken; había sido mi escondrijo favorito.

—¿Qué te parece si recogemos unas cuantas para la mesa? —sugirió la tía Jovana, observando el deseo en mis ojos.

—¿Podemos?

—¡Por supuesto!

—Tengo una idea mejor —dije yo, observando su espesa melena. La agarré del brazo y me la llevé al centro del jardín, buscando un banco—. Muy bien, Scarlet. Tú busca las flores más bonitas que encuentres, y tráemelas.

—Sí, mi capitana —bromeó, y se dirigió hacia las verdes matas.

Etan se quedó al borde del jardín, apoyado en un arbusto alto. Se cruzó de brazos y se quedó mirando fijamente.

Hice que la tía Jovana se sentara y me puse a quitarle horquillas del cabello.

—Pero ¿qué estás haciendo? —preguntó, divertida.

—Creando una obra de arte —le aseguré—. No te muevas.

Le separé mechones de cabello y me puse a trenzarlos como solía hacer con Delia Grace. Me pregunté quién se ocuparía de ella ahora. Me pregunté si me echaría de menos, o si me echaría de menos Nora. El dolor por haber perdido a mi familia y a Silas había hecho que no pensara en mis amigas durante mucho tiempo, pero ahí estaban, y deseé poder abrazarlas a las dos, aunque solo fuera por un momento.

Scarlet me trajo unas flores azules como la bandera de

Isolte, y yo las coloqué en la trenza en forma de corona que había creado con el cabello de la tía Jovana, que seguía riéndose. Tras acabar con su peinado, le puse flores a Scarlet y me las puse yo también, y reservé unas cuantas para madre.

Si íbamos a luchar, necesitábamos algo por lo que luchar. Por la libertad de escoger qué cenar o de poder cabalgar hasta donde quisiéramos. Por la esperanza de un mañana o por poder ponernos flores en el cabello. Por las grandes cosas y por las pequeñas; todo importaba. Observé que Etan ya no me estaba observando, sino que miraba a su madre. Y parecía esbozar una sonrisa; seguía cruzado de brazos, y tenía la cabeza ladeada.

Saqué una flor del montón que había reservado y me acerqué a él. Cuando estaba a medio camino, me vio, y su actitud cambió al instante. Vacilante, en guardia. Alargué la mano y, sin decir nada, le puse una flor en un ojal de la pechera. Él la miró frunciendo aquellos ojos color pizarra, y luego me miró a mí. Pero no se la quitó ni hizo comentario alguno.

Bajé la cabeza y volví con las chicas, feliz de poder pasear por el jardín y por el resto de los terrenos de los Northcott.

Llevaba un rato en la habitación, con la bata puesta y la puerta abierta. En Isolte hacía frío por las noches, y necesitaba encender el fuego. Si las criadas no iban a hacerlo, de acuerdo; yo también sabía hacerlo. Pero ya había consumido toda la leña que tenía, y no sabía de dónde sacar más.

Al final me crucé de brazos y me dirigí a la habitación de Scarlet. Llamé a la puerta, y no respondió. Eché una mirada dentro, pero no estaba. Observé que su chimenea seguía encendida, aunque solo le quedaban dos troncos de reserva. No podía quitárselos.

Cerré la puerta y fui a ver la habitación de al lado, con la esperanza de que hubiera leña junto al hogar. Desgraciadamente, no fue así. Por lo que parecía, me habían puesto la primera remesa de leña bajo la atenta mirada de la tía Jovana, cuando había ordenado que prepararan una habitación más. Le pediría más leña a ella, pero no sabía dónde estaba su habitación, ni la de madre. Estaba bloqueada.

Suspiré y miré al frente, donde estaba la puerta de Etan. Me pregunté que era preferible, si hablar con él o arriesgarme a perder unos cuantos dedos de los pies por congelación.

Me tragué el orgullo, crucé el pasillo y llamé con los nudillos. Le oí ponerse en pie y me sorprendió ver que abría la puerta con tanta cautela.

—¿Qué pasa? —preguntó.

Por un momento me distrajo que llevara la camisa desabotonada y por fuera de los pantalones; le caía un poco de un hombro. Tenía al menos tres cicatrices en el pecho, seguramente de sus años como soldado.

—No pasa nada, todos están bien —dije, levantando una mano—. No es ninguna emergencia.

Soltó un largo suspiro y asintió, como si necesitara calmarse. Por un momento había llegado a la peor conclusión posible, y ahora tenía que liberar toda esa ansiedad acumulada. Conocía bien esa sensación.

—Es solo…

—Desembucha.

—Las criadas se niegan a traerme leña, y yo no sé de dónde sacarla. ¿Podrías darme un poco de la tuya?

Cómo me habría gustado poder borrarle esa mueca burlona del rostro.

—Así que la poderosa lady Hollis necesita un favor.

—No hagas eso, Etan —dije, intentando mostrar coraje ante sus burlas—. Imagina el frío que tiene que hacer en mi habitación para que haya decidido pedírtelo. Por favor, dame un poco de tu leña.

Se hizo una larga pausa, tras la que supuse que me daría con la puerta en las narices.

—Entra —dijo por fin, y yo le seguí al interior, con la cabeza bien alta.

Me había imaginado que lo tendría todo manga por hombro, pero en realidad la habitación estaba bastante ordenada. Tenía tres libros abiertos en un escritorio, y unas copas que parecían usadas en la mesa junto a la cama, pero no había ropa tirada por el suelo ni olía mal.

—Extiende los brazos —ordenó, y yo obedecí. Empezó a colocarme troncos sobre las manos, y me quedé mirándolos, intentando buscar por dónde agarrarlos para que no se me clavara ninguna astilla—. La leña está detrás de la casa, amontonada entre dos árboles. Mañana puedes ir a buscártela tú misma.

—Eso haré —dije.

—Me debes una. Debería hacerte ir a buscarla ahora.

Suspiré, y por fin levanté la vista.

—Etan, yo no…

Pero no pude acabar la frase porque vi algo tan extraño y familiar a la vez que se me llenaron los ojos de lágrimas.

En la pared, justo encima de la chimenea de Etan, había una espada con una gran muesca en forma de V en la hoja.

—¿Qué pasa? —preguntó Etan.

No dije nada; pero pasé a su lado para acercarme a la espada.

—¿Dónde crees que vas? —dijo, siguiéndome.

Me detuve frente al hogar, con la mirada fija en la pared. Era casi como si sintiera la presencia de Silas.

—¿Qué estás haciendo? —preguntó, levantando la voz—. ¿Debo recordarte que esta es mi habitación?

—¿Sabes cuándo fue la primera vez que oí tu nombre, Etan? —pregunté, casi susurrando—. Silas me estaba contando cómo había empezado a trabajar el metal, y me habló de una espada que había hecho para su primo. Me dijo que, aunque la espada le había quedado fatal, tú la habías usado durante todo el torneo.

Conseguí apartar la vista de la espada y mirarlo a él. Ambos nos giramos de nuevo para mirar la maltrecha hoja de la espada; de pronto, pareció incómodo.

—Esa espada no se puede usar —respondió, en voz baja—. Si vuelve a recibir un golpe donde tiene esa muesca, se romperá, y la empuñadura no es fiable. Pero no puedo deshacerme de ella. No habría podido separarme de ella ni siquiera antes de que pasara todo aquello. Silas estaba muy orgulloso.

Asentí.

—Yo admiraba eso, su orgullo —dije, sin bajar la mirada, contemplando la obra de Silas, intentando respirar pese a sentir una presión en el pecho—. Tras esa charla furtiva con un chico que se suponía que no debía conocer nunca, la primera impresión que tuve de ti fue la de un hombre íntegro y cortés. —Volví a mirarle—. Sin embargo, no veo ni rastro de la persona de la que me habló Silas. Ni siquiera de la que me suele describir Scarlet. En lugar de ese hombre, me encuentro siempre un extraño. ¿Por qué?

Silencio.

—Sal de mi habitación.

—Querría entenderlo, de verdad. ¿Por qué eres siempre tan frío conmigo, cuando tu familia me ha dicho que no eres así en absoluto?

—Te he dicho que salgas.

Señaló la puerta y, un momento más tarde, obedecí. Ya en el pasillo, me giré a mirarlo. Sus ojos eran una mezcla de fuego y hielo.

—¿No te parece que ya me has quitado bastante? —preguntó—. Vete a tu casa.

Negué con la cabeza.

—No sé qué más hacer para demostrártelo, Etan. Estoy aquí por mi familia. Y no voy a dejarlos.

El portazo que había esperado antes, llegó ahora. Pese a todo, habría querido que abriera de nuevo la puerta, aunque solo fuera para ver otra vez la inútil espada de Silas. Volví a mi habitación y usé mi vela para prender el fuego.

Me senté lo más cerca que pude, dándole vueltas a mi anillo de boda, colgado de su cadena, y lloré. Teniendo en cuenta que oía perfectamente a Etan caminando por su habitación y resoplando de rabia, estaba segura de que él también podría oírme.

6

Al día siguiente, a primera hora de la mañana, aprendí lo que era el día del pan. Los Northcott hacían una cantidad enorme de pan dos veces por semana para las familias que trabajaban en sus tierras. Eso quería decir que todos los cocineros, algunas de las criadas y hasta la tía Jovana estaban ya en la cocina poco después del amanecer, amasando y horneando todo el día. Eso les aseguraba sustento a todos, aunque cayeran enfermos. En su simplicidad, era una de las ideas más generosas que había visto nunca, y me hacía mucha ilusión participar en ella.

Aunque ilusión era una cosa, y habilidad, otra muy diferente.

Scarlet y yo contemplamos a unas cocineras plegando la masa sobre sí misma con tal agresividad que me pregunté si no la estropearían. Intentamos imitar sus acciones, pero ninguna de las dos teníamos la fuerza de aquellas mujeres, que llevaban toda la vida haciéndolo. La tía Jovana también levantaba la masa y la golpeaba sobre la mesa con una fuerza sorprendente. Yo tenía miedo de que se me escapara y saliera volando si intentaba algo mínimamente parecido.

Y, por supuesto, por si no estaba lo suficientemente abrumada al ver la maestría de las cocineras, Etan estaba allí, pendiente para verme fracasar una vez más, lo que hacía que la situación fuera cien veces peor.

—Hijo, si vas a estar por aquí, ¿por qué no nos ayudas? —le preguntó la tía Jovana, dirigiendo la mirada adonde estaba él, sentado en un mostrador, dando sonoros bocados a una manzana.

—No. He venido solo para estar cerca de Enid, eso es todo —respondió, y al hablar le cayó un mechón del flequillo sobre la frente.

—¡Qué tontería! —exclamó la mujerona que tenía a mi lado, aunque era evidente que le divertía su flirteo.

Yo, por mi parte, estaba absolutamente descolocada.

—Eres el amor de mi vida, Enid. ¡Moriría sin ti! —exclamó él, con la boca llena.

Las mujeres se rieron. Era evidente que a todas ellas les encantaba Etan. Y eso me dejaba sin palabras. ¿Así era cuando yo no estaba? En su estado natural, ¿era en realidad un tipo encantador? Y, en otro orden de cosas completamente diferente…, ¿por qué no se me daba bien amasar?

—Dame eso —dijo Enid, quitándome la masa de las manos—. Si no la trabajas bien, el pan no subirá.

—Lo siento —murmuré.

Miré por encima del hombro, y ahí estaba Etan, observándome y meneado la cabeza. Si tan fácil era, ¿por qué no lo hacía él?

—Enid lleva haciendo pan desde que creció lo suficiente como para llegar a la mesa. Puedes aprender mucho de ella —dijo lady Northcott, señalando con la cabeza a la cocinera jefa, que ya estaba trabajando mi pedazo de masa.

Ella sonrió al oír los elogios de su jefa, pero no tanto como cuando Etan le había dicho que la quería.

—Eso me gustaría mucho —dije en voz baja, con la esperanza de que aquella mujer viera que solo intentaba ayudar.

Ella no respondió: siguió amasando, con unas manos más grandes que las de ningún hombre que hubiera visto nunca. Miré alrededor, intentando encontrar otra ocupación. Fui adonde estaba la harina para coger una nueva medida. Lo malo era que el enorme saco estaba justo al lado de Etan. Me quedé allí un minuto, sin saber muy bien cómo proceder.

—Son cuatro —dijo él.

—Ya lo sé —mentí, hundiendo la medida en el saco—. Si sabes tanto, ¿por qué no vienes a ayudarme?

—Porque es mucho más divertido verte sufrir, evidentemente.

Resoplé, cogí mi cuenco y volví a la mesa. Me quedé allí, mirando los otros ingredientes e intentando recordar qué tenía que poner a continuación. ¿Agua? ¿Huevos? Me encontré paralizada en una sala llena de actividad. Hasta Scarlet, cuya masa tenía peor aspecto que la mía, recibía instrucciones de uno de los pinches, que le explicaba el proceso pacientemente.

Las palabras de Etan solo reflejaban lo que las acciones de todos los demás me habían dejado claro: no era bienvenida en aquella casa. No importaba que el objetivo del día fuera dar alimento a gente necesitada; no deseaban mi contribución. Cuando levantaba la vista pidiendo ayuda a alguien, enseguida apartaban la mirada y volvían a sus quehaceres, como si yo no estuviera ahí. Dejé el cuenco en la mesa y me volví hacia la escalera sin decir palabra. La única persona que podía haberse dado cuenta era Etan, pero tampoco importaba: nadie vino tras de mí.

Ya en mi habitación, me quité las manchas de harina de los brazos frente a la palangana para las manos, haciendo un esfuerzo para no llorar. Había conseguido aceptar que la gente de Isolte me iba a ver siempre como alguien diferente, pero lo que no me esperaba era aquella agresividad. Y lo odiaba.

Al final no pude contener las lágrimas, sintiendo, una vez

más, la repulsa que provocaba en los isoltanos. A pesar de estar con la única familia viva que tenía, me sentía más sola de lo que creía posible. Aquello era de una crueldad única e innecesaria, que se sumaba a lo que todos sabían ya en aquella casa: que lo había perdido todo.

Pero entonces vino una segunda oleada de lágrimas, que se fundieron con las primeras, por un motivo diferente.

Sí, me había enamorado de un hombre de Isolte. Y quería a su familia. Quería a su reina. Pero solo les quería porque había llegado a conocerlos. La primera vez que había visto a Scarlet en el Gran Salón me había reído de su ropa, y me había desagradado que Valentina fuera tan distante, algo que había oído de los isoltanos. Ahora les tenía cariño a todos, pero yo también les había juzgado a primera vista. Me creía más elegante y más lista. Me creía mejor.

Solo estaba recibiendo lo que había dispensado tan alegremente. Quizás ellos no lo supieran, y tal vez yo no hubiera sido tan dura, pero era igual de vergonzoso.

Y, cuando pensaba en todo aquello, llegaba a una conclusión irrefutable: no me merecía que me trataran así, nadie se lo merecía. Nunca.

Ojalá hubiera tenido a Silas a mi lado. Él siempre ponía paz, siempre encontraba soluciones. Silas habría sabido qué hacer. Me limpié las lágrimas y cerré los ojos.

—¿Qué dirías tú? —dije, susurrándole al aire—. ¿Cómo arreglarías esta situación?

No hubo respuesta, pero de algún modo tuve la certeza de que no querría que me ocultara. Levanté la barbilla y recorrí de nuevo el largo pasillo hasta la escalera de servicio. Sentí el calor de la cocina mucho antes de llegar y respiré el delicioso aroma del pan horneado.

Los primeros ojos que vi fueron los de Etan; se leía la sorpresa en ellos.

—¡Ah, Hollis! Ahí estás. Estábamos... ¿Estás bien? —preguntó la tía Jovana.

Lancé una mirada desesperada a Scarlet, que improvisó una excusa.

—A mí a veces me vienen ganas de llorar así, de pronto. Ha sido muy duro desde..., desde...

—Por supuesto. Ven, Hollis, vuelve a la mesa. Para apaciguar el ánimo no hay nada como contribuir a que los demás se sientan mejor.

Siguiendo las instrucciones de la tía Jovana, me acerqué y ocupé de nuevo mi lugar junto a Enid, aunque sus enormes manos aún me intimidaban un poco.

—Creo que tiene razón, señorita Enid —respondí, mirando a la mujer a los ojos—. Teniendo en cuenta que ahora mi familia es esta, debería aprender a hacer esto bien. ¿Quiere enseñarme otra vez, por favor?

Ella no sonrió; ni siquiera dijo que sí. Cogió otro cuenco y me lo puso delante, y repitió las instrucciones de antes. Delia Grace siempre me había dejado claro que era malísima estudiante; eso no había cambiado. Pero observé las manos de Enid, decidida. Si ella estaba dispuesta a enseñarme, aunque fuera a regañadientes, yo aprendería.

Y Etan se quedó allí todo aquel rato, sin mover un dedo, sin decir una palabra, observando como si esperara que cometiera un error. A mí no me pareció que lo hiciera, pero nadie dijo nada, ni para bien ni para mal, y eso ya era algo.

Estaba tan decidida a ponerme a prueba que me quedé en las cocinas hasta que estuvieron cocidos los primeros lotes de pan. Para cuando pusimos los últimos cuencos de masa a lavar, unas cuantas de las mujeres que trabajaban en las tierras de los Northcott ya empezaban a presentarse en la puerta de atrás de la cocina para recoger su pan.

Tal como me había dicho la tía Jovana, de pronto, el hueco entre los árboles cobró sentido. Proporcionaba un camino directo para los que necesitaban la ayuda de su señora, sin tener que pasar por los cuidados jardines frontales, que tenían que permanecer bien cuidados y que eran de uso privado. Era un modo de mantener las formas, algo muy bien pensado.

La tía Jovana atendió a todas las mujeres dedicándoles tiempo y haciéndoles preguntas mientras les entregaba el pan. Conocía sus nombres, sus historias. Les preguntó por sus hijos y prometió pasar a ver a los que tenían algún problema en particular. Me quedé observando, admirada.

—¿Sorprendida? —preguntó Etan, sin apartar la vista de su madre, mientras esta dispensaba alimento y sabiduría.

—Sí —reconocí, observando a la tía Jovana, que agarraba las manos de una mujer con unas tristes ropas marrones, mirándola como si la diferencia social entre ellas fuera solo imaginaria—. Pero no debería sorprenderme. No creo conocer a nadie tan bueno como tus padres. Lo que no consigo entender es cómo lo hicieron para tener un hijo tan rabioso como tú.

—Yo no soy rabioso; soy precavido.

—Eres un tormento —le dije.

—Lo sé —respondió, asintiendo.

Me arriesgué a mirarlo. En su rostro vi un gesto de resignación que no conseguí descifrar.

—Pues no te costaría nada cambiar eso —propuse.

—Podría. Pero no contigo —dijo, soltando un suspiro—. Todos tenemos que hacer sacrificios. Yo debo tenerte vigilada como un ave de presa. Madre tiene que dejarse la piel trabajando. ¿Y mi padre? ¿Sabías que es su cumpleaños? Pero no habrá ninguna celebración.

Me planté delante de él para que me mirara a los ojos.

—¿Es su cumpleaños?

—Sí.

—¿Y cómo, entonces, es que no estamos preparándole una comida especial? ¿O un baile? ¿O lo que sea?

—Porque tenemos asuntos más importantes entre manos.

El tono de Etan dejaba claro que yo era una idiota por no ver algo tan evidente.

—En una familia en que la gente suele morir demasiado pronto, no se me ocurre que pueda haber muchas cosas más importantes que celebrar que uno de nosotros cumple un año más —repliqué.

De pronto vi que algo cambiaba en aquellos ojos tan fríos, aquellos ojos que habían estado observándome tan de cerca. Daba la impresión de que estaba de acuerdo conmigo.

—¿Cuál es la tradición en Isolte? Silas y yo nunca llegamos a celebrar un cumpleaños, así que no lo sé.

Etan resopló.

—Dulces. Hacemos pastelillos para desear un año lleno de dulzura.

Asentí.

—Bueno, pues estamos en una cocina, así que es perfecto. —Miré a mi alrededor, hasta que encontré las grandes manos de la jefa de cocina—. Señorita Enid —dije, reclamando su atención—, ¿sabía usted que es el cumpleaños de lord Northcott?

—Pues sí.

—Entonces..., ¿querría ayudarme a hacer los pastelillos más adecuados para la ocasión? ¿Los que sean más tradicionales?

Ella miró a Etan y luego me miró a mí, con una mueca burlona.

—¿Es que no has trabajado suficiente por hoy?

—No tanto como para que no podamos celebrar el cumpleaños de un ser querido. Así que…, si no le importa…

Meneó la cabeza.

—Cinco tazas de harina. Yo iré a por el azúcar.

Me puse en acción al momento, emocionada. ¿Se me daba bien la cocina? En absoluto. Pero sí se me daba bien hacer feliz a la gente, y eso era exactamente lo que iba a hacer.

7

Estábamos todos en el comedor, listos para sorprender al tío Reid. Habíamos recogido más flores del jardín para decorar la mesa, habíamos encendido más velas que de costumbre, e incluso uno de los criados tenía el laúd preparado para tocar. El ambiente era festivo; lo único que nos faltaba era nuestro invitado de honor.

Cuando oí sus pasos, apenas podía quedarme quieta de la emoción. Etan meneaba la cabeza, pero casi parecía hasta complacido. O quizá no fuera así. No me resultaba nada fácil interpretar sus gestos.

—¡Sorpresa! —gritamos cuando el tío Reid apareció por fin.

Se llevó una mano al pecho, y sonrió al ver la estancia y a su familia.

—Ya os dije que no quería que hicierais nada —dijo, mientras se acercaba a su silla, aunque sus protestas no eran demasiado enérgicas.

—Feliz cumpleaños, padre —dijo Etan.

—Gracias, hijo —respondió él, dándole una palmada en la espalda al pasar a su lado—. No tendrías que haberte molestado.

—Ha sido idea de Hollis —dijo la tía Jovana.

—No es nada —dije yo, sonriendo—. Enid ha hecho casi todo el trabajo, así que los pastelillos no deberían estar mal —añadí, señalando el montón de pastelillos dispuestos en una bandeja en el centro de la mesa.

Todos nos sentamos, y el tío Reid sonrió, contento.

—Supongo que es agradable tener algo que celebrar. Gracias a todos.

—Cómete un pastelillo, cariño. Para empezar otro año con algo dulce —le sugirió la tía Jovana, indicándole con un gesto la bandeja.

El tío Reid suspiró, pero no se resistió. Paseó la mirada por la mesa, observándonos a todos. Por fin decidió coger el primero. Dio un mordisco y puso los ojos en blanco al saborearlo. Debía de estar delicioso.

—Y ahora todos cogeremos uno, para participar de este año dulce que debe empezar hoy —me susurró madre.

Alargué la mano, como todos, y choqué sin querer con la de madre y con la de Etan en el momento de coger uno de los pastelillos. Aunque yo misma había contribuido en su elaboración, no sabía qué era lo que llevaban que los hacía tan buenos. Fuera lo que fuese, era una delicia.

—*Mmm…* —suspiré, con la boca llena—. Podría acostumbrarme a esto. ¿Quién celebra el próximo cumpleaños? No veo la hora de volver a comer uno de estos.

—Creo que es el de Scarlet —dijo madre.

Scarlet, que estaba devorando sus dulces, se limitó a asentir.

—Los cumpleaños son lo mejor —dije, dando otro bocado—. En Coroa, nos cogemos de las manos y bailamos en torno a la persona que cumple años. Cuando era niña, lo hacíamos solo con papá y mamá, pero cuando estábamos en el castillo, éramos decenas de personas. Era muy agradable verse rodeada de tantas caras felices.

—Bueno, pues esto es Isolte —replicó Etan, sin contemplaciones—. Esto es lo que hacemos aquí.

Tras un silencio incómodo, respondí, sencillamente:

—Lo sé.

—Pues adáptate. Si vas a quedarte aquí, tienes que dejar atrás todo lo que tiene que ver con Coroa.

Estaba claro que todos querían cambiar de tema. Pero me pregunté si una discusión con Etan se podía dejar así, sin más. Respiré hondo y respondí:

—Cuando tus primos se trasladaron a Coroa, ¿esperabas que se olvidaran de todo lo que habían aprendido en Isolte? ¿Que abandonaran todas sus tradiciones?

—Eso es completamente diferente —respondió enseguida—. Eran un grupo familiar, y no iban a quedarse para siempre…

—¡Desde luego, Silas sí!

—… Y tú estás sola y, a menos que tengamos un poco de suerte, te vas a quedar aquí.

—Etan —le regañó madre.

—¡No irás a decirme que estás contenta de que hayamos tenido que involucrar a otra persona en esto! —gritó—. Es más, la mitad de nuestros problemas se resolverían, sencillamente, si los suyos…

—¿Los míos? —grité, poniéndome en pie y lanzando la silla hacia atrás.

—Tu gente mata a los nuestros sin pensárselo dos veces. ¿Sabes lo insufrible que es tenerte bajo mi techo?

—Etan, ya hemos hablado de esto —intervino el tío Reid, con decisión.

—Hablas como si Isolte no hubiera iniciado nunca ningún conflicto —dije fríamente—. Si repasamos las guerras entre nuestros países, todas han sido instigadas por vosotros. Quizá no sea el caso de esas escaramuzas de la frontera, pero ¿no vas a tener el valor de reconocer que Isolte tiene parte de la culpa en todo este conflicto?

Se puso en pie con una expresión desquiciada en el rostro y se pasó los dedos por el cabello.

—¡Eres una malcriada! ¿Crees que las guerras libradas hace más de cien años tienen algo que ver con lo que pasa ahora? ¿Tienes alguna idea de la cantidad de pueblos que ha incendiado tu rey?

—¿«Mi» rey? ¿«Tu» rey incendió la casa de tu familia, y tú la tomas «conmigo»?

—¡Sí, y seguiré haciéndolo hasta el día en que te vayas o en que te conviertas en isoltana! Algo que, por cierto, no ocurrirá nunca.

—¿Es que no he hecho suficiente? —pregunté, abriendo los brazos—. Me casé con un isoltano. Abandoné Coroa. He venido a vivir con la que considero mi familia, y tú sigues…

—Tú «no eres» mi familia —recalcó, señalándome con el dedo—. No eres más que la chica que estuvo «así de cerca» de la cama de Jameson. ¿Es que no has oído lo que decían en la frontera? Creen que va a intentar entrar en el país. ¿Por qué? Porque está loco por ti, por motivos que no puedo ni imaginar. ¿Crees que no puedo imaginarme que vayas a ayudarle? ¿Crees que voy a confiarte mis secretos, cuando en cualquier momento podrías volver corriendo a los brazos de ese hombre?

Me lo quedé mirando fijamente, y sentí que mi mirada le llegaba oscura y fría.

—No… te… muevas.

Salí del comedor a toda prisa, subí la escalera a toda prisa y entré en mi habitación. Agarré lo que había ido a buscar y volví a bajar corriendo. Estaban hablando en mi ausencia, en voz baja, pero airadamente. No entendí gran cosa, salvo que Etan se negaba a disculparse. Me situé justo delante de él y le lancé al pecho la bolsa de oro que había traído conmigo. Le golpeó con fuerza y se cayó de espaldas sobre su silla; varias monedas rodaron por el suelo.

—Por Dios, Hollis —exclamó la tía Jovana—. ¿De dónde has sacado todo ese dinero?

Etan seguía mirando lo que tenía en las manos, atónito, por fin se atrevió a mirarme.

—Esto es lo que pude cargar de mi pensión de viudedad. Esto es lo que reciben todas las nobles de Coroa cuando pierden a su marido. Y ahora es tuyo, cerdo. Úsalo para crear el ejército que necesitas, o para sobornar a quien tengas que sobornar. A partir de este momento, el dinero de Jameson Barclay financia tu búsqueda de justicia, y ese dinero te lo he dado yo. No lo olvides.

—Hollis —murmuró madre.

Levanté una mano, haciéndole callar, incapaz de apartar la mirada de Etan Northcott.

—Nunca le he dicho esto a nadie..., pero te odio —dije, con un suspiro.

Él esbozó una mueca burlona.

—Yo en cambio se lo he dicho a muchísimas personas, pero eso no hace que sea menos cierto: te odio.

—Etan —dijo el tío Reid, conteniendo el tono—, discúlpate.

—No os preocupéis. Ya me han mentido bastante. Y ahora, si me disculpáis...

Me di media vuelta y me fui con la cabeza bien alta, con la esperanza de mantener una dignidad que antaño daba por descontada.

En cuanto me fui, empezaron discutir acaloradamente; lamenté que estuvieran peleándose por mi culpa. Me sentía orgullosa de mí misma por no haber llorado en su presencia. No conseguía entender toda aquella rabia, como si yo le hubiera hecho algo personalmente. Pero no era así.

Me quedé allí sentada un buen rato, con mis frustraciones, mi rabia y mi dolor, y llegué a una sencilla conclusión: había cometido un error.

No tenía que haber ido a Isolte.

En solo tres días, mi presencia había creado heridas en lo que quedaba de una gran familia. Ya había contribuido a sus planes con lo poco que podía ofrecerles. El servicio no me soportaba, los vecinos probablemente me juzgaran, y eso también afectaría a mi familia. Y, tras tantos años de desaires, no iba a soportar otra palabra de Etan.

Tenía que irme.

Si se lo pedía, no me lo permitirían, para nada; así que tenía que escapar. No me resultó muy difícil recoger mis cosas y meterlas en las bolsas en las que las había traído; tenía muy pocas pertenencias realmente.

Escribí una nota de disculpa improvisada y la dejé sobre mi cama. Cuando fue lo suficientemente tarde como para suponer que todos dormirían, o que al menos estarían en sus aposentos, bajé la escalera de servicio con sigilo y me dirigí a la cocina.

Esperé un momento en la puerta para asegurarme de que estuviera vacía. Tras comprobar que así era, la atravesé, pero de pronto oí una exclamación contenida, como un jadeo. Me giré y vi que había una niña junto a la pared, cerca de la puerta. No la había visto al entrar.

—Oh. Es usted, señorita. ¿Puedo ayudarla?

—Tú no me has visto. ¿Entendido?

Sin esperar a que respondiera, me dirigí a la puerta trasera y tomé el camino de los establos que había visto cuando la tía Jovana me había mostrado la finca. Pero ¿seguiría siendo mi tía si me iba? Meneé la cabeza para quitarme ese pensamiento de la cabeza. *Madge* estaba allí, descansando, pero levantó la cabeza en cuanto percibió mi olor.

—¡Eh, chica! ¿Quieres ver Coroa otra vez? Déjame que te encuentre una silla.

Tardé un rato en descubrir dónde guardaban cada cosa, pero por fin conseguí tenerla lista, con su silla ceñida y las bolsas sobre la grupa. Me subí la capucha de la capa y me enfundé los guantes, con la esperanza de pasar lo más desapercibida posible; no sabía cómo me recibirían al otro lado de la frontera.

Trotamos sin hacer ruido hasta la parte delantera de la casa, para tomar el único camino que sabía que llevaba a la frontera. A mitad del largo sendero que cruzaba la finca, tuve que detenerme un momento y miré atrás. Me sentía como si me estuviera clavando una estaca en el corazón. Y entonces lloré, incapaz de soportar aquel dolor. Había perdido a mucha gente sin poder hacer nada para evitarlo, y esto era completamente diferente, porque era yo quien había decidido marcharse. Me tapé la boca con las manos y me quedé mirando la casa un minuto, con el rostro cubierto de lágrimas.

—Por favor, perdonadme —susurré—. Ya no sé qué hacer.

Di media vuelta y me adentré en la noche.

8

La luna no iluminaba lo suficiente como para ver el camino claramente, así que reduje el trote de mi yegua y seguimos al paso. El viaje y la noche se estaban haciendo increíblemente largos. Lamenté no haber tenido pensado en llevar conmigo una daga o cualquier otra cosa que me diera seguridad. De hecho, empezaba a desear haberme quedado en el palacio, como una dama ignorante más, o haber escuchado a mi madre y haberme quedado en Coroa…, pero no. Aunque no me sentía con fuerzas para acabar lo que había empezado, no me arrepentía de lo que había hecho, ni por un segundo.

Tardé un tiempo en darme cuenta de que había un jinete que parecía seguirme a lo lejos. Era evidente que avanzaba más rápido que yo, si no hacía algo, me alcanzaría al cabo de menos de un minuto. No quería parecer una ladrona, o algo peor, ocultándome en las sombras.

El instinto me decía que dejara el camino, que me ocultara. Aunque si me había visto, estaba acabada. Luego pensé en la posibilidad de echar a galopar e intentar dejarlo atrás, lo cual parecía poco sensato, teniendo en cuenta lo escasamente que conocía aquellos caminos. Pero antes de que pudiera decidirme se oyó una voz.

—¡Hollis! ¡Hollis, espera!

Tiré de las riendas y detuve mi montura.

—¿Etan? ¿Eres tú?

Frené mi yegua, con el corazón desbocado, y vi cómo se acercaba.

—¿Ibas a algún sitio? —preguntó, como si nada, al llegar a mi altura.

Sacudí la cabeza, confusa.

—¿Cómo has sabido que me había ido?

Él suspiró, incapaz de mirarme a los ojos.

—Te he visto salir.

Claro. Su habitación estaba junto a la mía, y ambas daban a la parte delantera de la finca. ¿Por qué no me había asegurado de que estuviera dormido antes de ponerme en marcha?

—No voy a volver —dije, acalorada—. No sé qué me espera en Coroa, pero estoy segura de que estarás de acuerdo en que lo mejor para todos es que me vaya. —Apenas podía contener las lágrimas, y me odiaba por ello—. Tal como has dicho muchas veces, no soy isoltana, y tampoco soy familia directa. Será mejor para todos que... desaparezca.

—No, no lo será —replicó—. Tú te vuelves conmigo. Tampoco llegarías nunca a Coroa por tu cuenta.

—Ya me las arreglaré.

—Hollis, apenas sabrías arreglar tu vestidor. ¡Da media vuelta!

—¡Deberías alegrarte! —repliqué—. ¡Al fin y al cabo, me has estado incordiando para que me fuera de la casa desde que llegué! Y si me has visto marcharme, ¿por qué me has dejado llegar tan lejos antes de intentar detenerme?

—Porque quería que te fueras, obviamente —dijo, meneando la cabeza. Seguía sin mirarme a los ojos—. Pero luego me he dado cuenta de que no podía permitirlo.

—¿Y eso por qué? —pregunté, sarcástica, frunciendo los párpados.

—Porque te conozco, Hollis —dijo, mirándome por fin, muy serio.

Aquellas palabras me provocaron un escalofrío: me recordaron algo que había dicho Silas una vez, algo que había hecho que viera claro que tenía que huir con él, aunque aquello fuera mi ruina. Si Etan Northcott pensaba que iba a robarme el recuerdo de aquellas palabras, estaba muy equivocado.

—Puede que sepas muchas cosas, Etan Northcott, pero a mí no me conoces.

—Sí, sí que te conozco —insistió, sin inmutarse—. Sé que ya has sufrido bastantes muertes. Sé que preferirías vivir en una agonía constante, aunque solo fuera para que tus personas queridas pudieran vivir un poquito más. Sé... —Hizo una pausa y tragó saliva—. Sé que, incluso cuando te sientes triste, te preocupas por los demás. Hacía años que no veía sonreír a mi madre como cuando le pusiste flores en el cabello. —Bajó la vista, casi como si estuviera avergonzado—. Y sé que crees que la tía Whitley y Scarlet te olvidarán, y mis padres también, pero... no lo harán.

Etan había conseguido ver más allá de mis barreras, llegando a mis mal disimulados miedos. Sentía la presión de las lágrimas en los ojos, así que no me atreví a decir nada.

—Yo ya he hecho todo lo que tú crees que tienes que hacer —me dijo—. Y he levantado un muro que me separa de mi familia. Así, les resulta más fácil. Pero tú eres diferente. Tú llenas de luz cualquier estancia, y si no estás ahí mañana cuando se despierten, Hollis, se quedarán destrozados.

—Ellos no...

—Sí, así será —me aseguró—. Vuelve a casa.

A casa. ¿Es que esa era mi casa? Desde luego no lo tenía nada claro. Le miré, escrutando sus ojos serios mientras él seguía con su exposición:

—¿Te das cuenta de que si sigues adelante me enviarán a buscarte igualmente, aunque tenga que seguirte hasta la frontera? Y aunque tu arrojo es muy admirable, sin duda en la frontera te quitarán las ganas de hacerte la heroína.

Suspiré, consciente de que tenía razón. Si continuaba adelante, él me seguiría el rastro, y eso, sin duda, acabaría mal. Si no ya para mí, para él. Y no quería ser la causa de más dolor.

Sin decir palabra, espoleé a Madge y la hice volver en dirección a la casa.

—¿Cómo vamos a hacer que funcionen las cosas en casa? —le pregunté—. Tú no me soportas, y yo tampoco te tengo especial aprecio.

—Muy fácil: autocontrol. Lo creas o no, tengo bastante. Podemos evitar hablar el uno con el otro, a menos que sea absolutamente necesario. Y por mucho que me cueste, evitaré insultar a Coroa de momento y meterme con tu desafortunada lealtad al reino.

Suspiré.

—Te acabo de dar hasta el último centavo que tenía. ¿No te parece suficiente prueba de que estoy con vosotros?

—Hasta cierto punto —concedió—. Pero no es fácil olvidar que estuviste a punto de ser reina.

—Ahí lo tienes —dije, sin más—. En realidad, no confías en mí, y yo no confío en ti. ¿Cómo sé que mantendrás tu palabra y que no estarás discutiendo y metiéndote conmigo todo el rato?

Él me miró fijamente a los ojos:

—Pensaba que a estas alturas ya te habrías dado cuenta de que yo nunca hablo por hablar.

Las pisadas de nuestros caballos resonaban en la noche.

—Bueno, eso, desde luego, no lo puedo negar. Muy bien. Mantendré las distancias, y en tu presencia evitaré hablar de nada que pudiera tentarte a comportarte como un imbécil.

—Buena suerte con eso.

Esbocé una mueca burlona, pero un segundo después me puse seria de nuevo.

—Y, por favor, no les digas que me he ido.

—No lo haré.

Se hizo el silencio, y yo seguí trotando a su lado hasta llegar a la casa. El cielo estaba adoptando un bonito color rosado, pero con cada nuevo rayo de sol me preocupaba que todos descubrieran que había intentado abandonarlos.

—Date prisa —dijo Etan, leyéndome el pensamiento—. Si tomamos este atajo, podemos entrar por la parte trasera de la casa.

Se desvió del camino principal, y yo lo seguí al galope. Etan era un buen jinete, casi tan preciso como Jameson, lo cual era mucho decir. Tras una noche de insomnio, resultó agradable aquel movimiento, casi volar sobre el campo. Nos colamos por entre una hilera de árboles y fuimos a parar a los campos de grano, donde los operarios ya estaban trabajando duro.

Al pasar junto a ellos, los hombres se llevaron la mano al sombrero de tela y las mujeres se inclinaron, al reconocer a uno de los señores de la tierra. Etan saludó a muchos de ellos llamándolos por su nombre.

—Me avergüenzas —le dije, y él se me quedó mirando, sin entender lo que quería decir—. Yo no conocía a ninguno de los operarios que trabajaban en nuestros terrenos. Ojalá lo hubiera hecho mejor.

—Puedes hacerlo mejor —respondió él, encogiéndose de hombros—. Cuando vuelvas. Porque un día volverás, Hollis. Con el tiempo, recuperarás tu vida.

—Ya veremos.

No podía saber con certeza si sobreviviría un mes, así que

me resultaba difícil hacer planes de futuro. Etan me condujo a una hilera de árboles que me resultaba familiar. Pasamos por la abertura y nos encontramos frente a la fachada trasera de la casa y el camino que llevaba a la cocina.

—¿Crees que se habrá levantado alguien?

—No —dijo él, bostezando—. Pero iremos por la escalera de servicio, por si acaso.

Dio unos golpecitos en la ventana de la cocina y le hizo una señal a alguien que estaba dentro. Vinieron a abrirnos la puerta, y el personal de la cocina nos miró con sorpresa.

—No penséis mal —dijo Etan, señalándolos con el dedo—. Esto ha sido una misión de rescate, y espero que todos mantengáis el secreto. Ya tenemos bastantes cosas de las que preocuparnos.

No se le veía nada serio, y desde luego parecía que estuviera impartiendo una orden; aun así, tuve claro que todos los presentes le obedecerían.

—Oh, gracias a Dios —soltó una vocecita, y al girarme vi a la niña que me había visto salir.

—Siento haberte obligado a mantener un secreto como ese —le dije—. No lo volveré a hacer.

Etan observó nuestro breve diálogo, con el gesto de quien le da la última pincelada a un cuadro.

—Vamos, Hollis.

Se dirigió hacia la escalera, pero apenas había dado un paso cuando se dio media vuelta y se giró hacia la cocina.

—Y, por cierto —añadió, señalando con el mismo dedo que antes—, desde esta mañana, cuando lady Hollis levante la copa, se le llena. Si hace sonar una campanilla, se la atiende. Para bien o para mal, es… parte de la familia, y hay que tratarla como tal.

Recorrió la estancia con la vista, mirando a todos a los ojos, muy serio.

En ese momento supe que pensaba cumplir con su palabra. Aunque me odiara, no volvería a atacarme.

—No se preocupe, señor —dijo Enid, cruzando la cocina, con un montón de fruta entre los brazos—. Ya llegamos a esa conclusión ayer. —Me miró—. Creo que tenía razón en celebrar el cumpleaños del señor. Es un buen hombre.

—Sí que lo es —respondí—. Uno de los mejores.

—¡Ah, Enid, amor mío! —dijo Etan, lanzándole un beso—. Sabía que no me fallarías.

—¡Fuera de aquí! —le ordenó ella, riéndose, y nosotros salimos corriendo escaleras arriba, intentando evitar que la madera crujiera, aunque no sabíamos cómo evitarlo.

Cuando salimos de la escalera, en la segunda planta, tuvimos que doblar unas cuantas esquinas antes de llegar al ala donde estaban nuestros dormitorios. Daba la impresión de que nadie nos había visto.

—Sé que para ti no es nada fácil ni cuando estás descansada, pero ve y arréglate un poco —dijo Etan, sarcástico—. Va a ser un día muy largo.

—Muy gracioso —respondí, cruzándome de brazos—. Y por el amor de Dios…, ¿es que tú nunca te afeitas?

Pasé a su lado y me metí en mi habitación, asombrada de que lo hubiéramos conseguido. Habíamos vuelto a casa y nadie se había enterado, así que podíamos seguir adelante, sin más. Rompí la carta que había escrito la noche anterior y eché los fragmentos en la chimenea para que se quemaran. Quizá les hablaría de mi momento de debilidad un día, cuando ya quedara muy atrás y hubiéramos ganado la batalla. De momento necesitaba lavarme un poco la cara, despejarme y ponerme un vestido limpio. Iba a ser un día agotador.

9

Bajé al desayuno con ojos de dormida, esperando tener una oportunidad de poner en práctica el nuevo pacto sellado con Etan. Solo que él no estaba.

—¿Te encuentras bien? —me preguntó madre, mirándome de arriba abajo.

—Sí. ¿Por qué? ¿Qué pasa? —pregunté, quizá con demasiada celeridad.

—No, nada. Pero pareces cansada.

—No he dormido bien —reconocí.

—Bueno, hoy nos lo tomaremos con calma —dijo la tía Jovana—. Tengo que escribir varias cartas, y me va a hacer mucha falta tu ayuda y la de Scarlet. Si Etan no se equivoca, tenemos que informar a algunos amigos muy queridos de… ciertos sucesos recientes —añadió, evitando ser explícita.

Le seguí el juego.

—Tengo una caligrafía excelente —le dije—. Era lo único que me alababa Delia Grace en mis tiempos de estudiante.

—¡Oh! Eso me recuerda… —La tía Jovana se levantó y fue hacia una mesita lateral—. Esto llegó anoche. No quería despertarte. Espero que no sea demasiado urgente —se disculpó, y su gesto dejaba claro que temía haberse equivocado.

Yo, en cambio, daba gracias de que hubiera tomado esa decisión.

En el anverso del papel doblado figuraba la dirección de Varinger Hall, tachada, y debajo habían escrito «Northcott, Isolte», ya que era lo único que sabía el servicio de mi casa sobre mi nuevo paradero. No reconocí la caligrafía.

Rompí el sello, que no me resultaba familiar, y fui directamente al final para ver de quién era.

—¡Nora!

—¿De verdad? —preguntó Scarlet—. ¿Qué dice? Bueno..., perdona, no quería ser indiscreta.

Levanté la vista de la carta justo a tiempo para ver entrar a Etan. Aquella pequeña sanguijuela se había afeitado, y se dejó caer en su silla con una mueca en el rostro, desafiándome a decir nada.

Hubo un momento de tensión en la mesa; todos esperaban que siguiéramos con nuestra pelea donde suponían que la habíamos dejado. Pero nosotros habíamos firmado la paz, por frágil que fuera, y ahora tocaba seguir adelante lo mejor que pudiéramos.

—No tengo secretos para vosotros —dije, dirigiéndome a todos los presentes, con la esperanza de que Etan tomara nota. Me aclaré la garganta y leí la carta—: «Querida Hollis, por lo que más quieras, vuelve».

Tuve que hacer una pausa, y me animó ver que Scarlet sonreía al oír aquella frase inicial. Seguí leyendo:

> No pretendo quitar importancia a lo sucedido. Sé que has pasado por cosas terribles, y aún me cuesta creer que tus padres hayan fallecido. Imagino que ahora mismo necesitas consuelo, y si te tuviera cerca, yo te lo daría. Espero que lo encuentres de algún modo en la casa de tu familia. Aun así, desearía tenerte aquí.
>
> Me parece que hasta ahora no me he dado cuenta de la alegría que traías al palacio. Delia Grace está haciendo lo que

puede por ocupar tu lugar, pero ella no es Hollis. Echo de menos tus bromas y tus risas…

Tuve que hacer otra pausa para coger aliento

… y espero que tú también eches de menos las mías.

No pretendo cargar contra Delia Grace. Creo que ambas hemos sabido desde el principio que es ambiciosa, pero el modo en que se ha querido ganar el afecto del rey me resulta… incómodo. Aún tenemos relación, y eso debo agradecértelo a ti. Pero me preocupa cómo cambiarán las cosas si llega a ser reina.

—¿Qué pasa? —preguntó madre, observando la preocupación en mi rostro.

—Nada… Es solo que… yo sabía que Delia Grace siempre había deseado conquistar a Jameson. Me pregunto qué puede estar haciendo para que la gente se sienta incómoda. Y eso me hace pensar también en el soldado de la frontera, que dijo que él no le era fiel. Delia Grace tenía tantos planes, sabía cómo jugar sus cartas…

Seguí leyendo:

Quizá me esté preocupando sin motivo. Tal vez solo sea que las tensiones de la corte me van agotando. El rey aún habla de ti. Cuando alguien hace algo que le recuerde a ti, no puede evitar contarnos la historia entera. Cuando tú…

Me ruboricé, poniéndome en evidencia. Etan resopló, burlón.

—Desde luego, no tiene secretos.

Respiré hondo y proseguí:

> Cómo lo besaste en la cámara de las joyas de la corona...

—Que no es como ocurrió, por cierto —añadí, levantando la mirada—. Estábamos en sus aposentos, y fue él quien me besó.

Seguí leyendo:

> Y luego esa historia de cuando te pintaste los labios con unas moras. Y la de cuando usaste las moras como proyectiles para iniciar una guerra conmigo. Cada vez que lo hace, veo que Delia Grace se muere de la rabia, y en parte eso es lo que me pone nerviosa. Parece muy incómoda, aunque tú ya no estés.
>
> Ven a visitarnos pronto. Aunque no tengas intención de reconquistar al rey (algo sobre lo que aún albergo esperanzas, debo confesar), creo que Delia Grace se sentirá más tranquila si vienes, te vas, y no pasa nada. Te verá de nuevo como nuestra querida Hollis de siempre, y quizás así podamos seguir adelante. No sé qué vida llevas, pero espero que encuentres tiempo para escribirme pronto y contarme todas tus aventuras. No sé si has seguido en contacto con la familia Eastoffe después de lo que he oído que ha sucedido, pero, si es así, dile a lady Scarlet que le envío un abrazo acompañado de mis mejores pasos de baile.

Levanté la vista y vi que aquella frase por sí sola había hecho que asomaran lágrimas en los ojos de Scarlet. Lágrimas de felicidad.

> Te deseo lo mejor, Hollis. Cuando puedas, mándame buenas noticias que animen a la corte.
>
> Tu amiga y servidora,
>
> NORA

Doblé la carta, sintiéndome algo más reconfortada. No eran exactamente buenas noticias, pero, aun así, me sentí mejor. La criada se acercó a la mesa y llenó las tazas de todos, mientras la familia reflexionaba sobre las amables palabras que me había enviado Nora.

—Cotilleos inútiles —señaló Etan.

—En absoluto. Nos ha confirmado algo —repliqué, y vi que él fruncía el ceño—. En Isolte, la gente no sabe qué le pasó a mi familia, pero en Coroa sí. Como no son súbditos de Quinten, quizás allí no teman contarse el suceso unos a otros.

Lo consideró y dejó caer los hombros.

—Tienes razón.

El tío Reid dejó de masticar y se quedó mirando a su hijo.

La criada me puso cerveza en la copa.

Y todo aquello me reconfortó tanto como la carta.

El tío Reid se aclaró la garganta, como si quisiera alargar aquel momento de paz entre nosotros.

—¿Qué planes tienes para hoy, hijo?

—Dormir. He pasado una noche de perros.

Sentí la tentación de mirar a los demás, para ver si alguno asociaba su noche sin dormir a la mía; esperé que, en caso de que lo hicieran, no llegaran a una conclusión errónea.

Era improbable, dado que lo último que habían visto era nuestra pelea a degüello. Al final solo miré a Scarlet, y me di cuenta de que le daba vueltas a algo, pero decidí centrarme otra vez en mi comida; no quería darle más combustible para que alimentara ese fuego.

—¿Cuándo es el próximo día del pan? —pregunté, para cambiar de tema.

—El sábado —dijo la tía Jovana—. Hoy mis tareas más urgentes son esas cartas, y estoy acabando un vestido para ti, Hollis. Necesito que te lo pruebes.

—Por supuesto.

—Hijo, ¿quieres venir conmigo a visitar a los Bierman? —preguntó el tío Reid—. Su hijo mayor dice que se quiere ir a vivir a otro sitio.

Hasta ese momento, la actividad principal de Etan había consistido en seguirme como una sombra implacable, pero daba la impresión de que por fin iba a llegar la paz.

—Sí, claro. Hace mucho que no le veo. ¿Dónde piensa mudarse Ash? ¿Va a dejar el campo?

Había llegado el correo de la mañana, y entró una doncella con otra carta que le entregó al tío Reid, justo cuando estaba contestando a Etan:

—No lo creo. Creo que el joven Ash quiere probar suerte en un sector nuevo. Sus padres están algo intranquilos.

—El joven Ash —repitió Etan, con una mueca, meneando la cabeza—. Tenemos la misma edad.

—Sí, la misma.

El tío Reid cogió la carta tranquilamente, como si no le preocupara lo que pudiera decir, sonriéndole a su hijo. Pero tanto su gesto como el de Etan se oscurecieron de pronto.

—¿Qué pasa? —pregunté.

Etan soltó un suspiro y respondió sin apartar los ojos de la carta:

—Lleva el sello real.

10

—¿El sello real? —preguntó Scarlet, tensando la voz.

Tragó saliva y se agarró el cuerpo con los brazos, como preparándose para un golpe. El tío Reid echó una mirada rápida al mensaje y compartió las noticias con nosotros:

—Nos citan en el palacio. El príncipe Hadrian se casa a finales de semana. Habrá un baile y un torneo para culminar la celebración. —Suspiró—. Bueno, ahí está.

Todo el mundo parecía abatido —o, peor aún, aterrado—, pero yo levanté la cabeza.

—¡Es una noticia fantástica!

Etan fue el primero que me miró, incrédulo.

—¿Cómo va a ser bueno que nuestro enemigo por fin consiga hacer que su hijo se case, y tal vez prolongue su dinastía?

—No paráis de decir que tendríais apoyos si tuvierais pruebas irrefutables. Pues el mejor lugar para encontrarlas es el castillo. Y nos acaban de invitar.

El tío Reid esbozó una mueca burlona; Etan se hundió aún más en su silla, irritado al tener que admitir una vez más que yo tenía razón.

—Muy bien, Hollis. Esa es la actitud que necesitamos. Este viaje supone una gran oportunidad. Escucharemos bien para enterarnos de las noticias que puedan haber llegado a la corte, veremos qué podemos descubrir por nuestra cuenta y buscaremos apoyos. Me temo que quizá sea nuestra última oportunidad.

—¿Qué necesitas que hagamos? —le preguntó madre.

—Que os mováis con agilidad y agucéis el oído. Que habléis con todos e intentéis enteraros de si alguien ha visto algo con sus propios ojos. Que os ganéis simpatías. Debemos estar muy presentes. Así Quinten nos verá como fieles partidarios suyos y nos permitirá completar nuestros planes. También hemos de presentar un frente unido, demostrar que no estamos divididos, a pesar de todo lo que haya pasado. Para eso —añadió, inclinándose hacia delante y mirándome primero a mí y luego a Etan—, tú acompañarás a Hollis en todos los eventos.

Observé a Etan, que estaba boquiabierto. Sus ojos miraban adelante y atrás, buscando cualquier excusa.

—Sea lo que sea lo que estás pensando, olvídalo. Todo el mundo sabe lo que sientes por Coroa. Si consigues mostrarte no solo civilizado, sino incluso amable con ella, eso dirá mucho más sobre la unidad de nuestra familia que cualquier explicación que yo pueda dar. Así que serás su acompañante, y no vamos a hablar más de ello.

Él me miró, y yo le devolví la mirada. Aunque hubiéramos firmado la paz, aquello podría tensar la situación hasta el punto de romperla. Pero formábamos parte de una misión, así que no me parecía que pudiéramos encontrar una alternativa.

—Sí, padre —dijo, dejando caer los hombros.

El tío Reid me miró, y yo me limité a asentir.

—Muy bien. Saldremos mañana, así que más vale que empecéis a preparar el equipaje.

Yo estaba atenazada por la preocupación, y sentía el cuerpo tenso ante la perspectiva de presentarme en la corte del rey Quinten.

—No te preocupes —me susurró Scarlet—. Yo tengo vestidos que te puedo dejar.

Sonreí y asentí, sin pensar en aquello siquiera. Tenía que encajar, algo que no parecía sencillo; los vestidos de mangas ajustadas eran la menor de mis preocupaciones.

Cuando me acosté, pasé mucho rato sin poder dormir. Pese al agotamiento provocado por mi intento de huida la noche anterior, e incluso con el fuego encendido, que atemperaba el dormitorio, me resultaba imposible dormir. Me preocupaba, quizá de un modo irracional, el encuentro cara a cara con el rey Quinten al día siguiente.

Tal vez fuera mi imaginación, pero me pareció oír a Etan al otro lado de la pared, caminando a ratos, luego tirándose en la cama y levantándose otra vez. ¿Estaría tan nervioso como yo? ¿O es que no podía estarse quieto?

Alguien llamó a mi puerta y levanté la cabeza de golpe.

—Soy yo —susurró Scarlet—. ¿Te he asustado?

Solté una risita y abrí la cama para hacerle espacio. Ella se metió dentro y se tumbó, pero yo me quedé sentada, con la cabeza apoyada en las rodillas.

—Necesitaríamos un sonido especial para llamar a la puerta. Yo podría ulular como un búho o algo así antes de entrar —le propuse.

—Sí. Eso sería estupendo. Muy noble por tu parte —respondió ella—. Me imaginaba que estarías despierta. ¿Te encuentras bien?

—No, la verdad es que no. Estoy muy cansada, pero la mente… —Estaba hecha un lío, pero cuando empezaron a salirme las palabras, también salió la verdad—. Tengo miedo, Scarlet. Esto es completamente nuevo para mí. Vosotros siempre habéis ocultado vuestro secreto, ese conocimiento de quiénes sois y lo que significa para la historia de vuestro reino. Yo no soy más que una chica que se enamoró de un chico…, y ahora estamos aquí, y no sé qué se supone que debo hacer.

»No soy isoltana; no veo por qué iban a confiarme a mí (a una forastera) ninguna información vital. Y al rey Quinten no le he gustado en ningún momento. Tengo miedo de que mi papel en cualquier cosa que hagamos para buscar justicia para Silas resulte inútil. Yo no soy tan audaz como Etan, ni tan observadora como tú. Madre y el tío Reid son grandes estrategas, y la tía Jovana consigue imponer una sensación de calma sobre todas las cosas. Pero ¿yo? —pregunté, intentando desenmarañar el laberinto de pensamientos que tenía en la cabeza.

¿Qué podía hacer yo?

¿Habría tenido que seguir huyendo la noche anterior, a pesar de las protestas de Etan? ¿Tendría que haberme quedado en Coroa? ¿Habría algo que yo pudiera hacer para contribuir en la búsqueda de una solución?

—¿Qué es lo que quieres saber? ¿Cuál es tu papel en todo esto? —preguntó Scarlet.

—¡Sí, eso es lo que quiero saber, desesperadamente!

Scarlet irguió el cuerpo, se sentó en la cama y me miró fijamente a los ojos.

—Pues lo siento, porque yo no lo sé —dijo, con una seguridad que me dio ganas de reír, lo cual no era mala cosa, porque daba la impresión de que ese era su objetivo—. Hollis, lo único que puedo decirte es que creo que estás aquí por un motivo. Y quizá no sepamos cuál es ahora mismo, pero estoy segura de que, pase lo que pase, te necesitaremos.

—¿Tú crees? —pregunté, estirándome por fin.

—Sí que lo creo —dijo ella, tumbándose a mi lado.

Pasamos un buen rato en silencio, perdidas en nuestros

propios pensamientos. Aquello era algo que me gustaba de Scarlett: podía permanecer en silencio con ella.

—Yo estoy entrenada, Hollis —dijo, cuando menos me lo esperaba—. Desde que tuve edad para cargar con una espada, he sabido usarla. Pero cuando… —Sus labios empezaron a temblar, y entonces supe que me estaba contando la historia que todos pensamos que nunca contaría. Tragó saliva y siguió adelante—. Cuando entraron, no pude moverme, aunque me iba la vida en ello. Recuerdo tener aquel pensamiento grabado en la cabeza: si quieres vivir, tienes que moverte. Y, sin embargo, no podía.

La vi retorcer nerviosamente el borde de las mantas, intentando dominar sus pensamientos.

—Entraron sin hacer ruido. Los primeros que cayeron no sintieron miedo ni vieron lo que se les venía encima, porque no se oyó nada. Nadie echó a correr hasta que unos cuantos se dieron cuenta de lo que estaba ocurriendo y empezaron a gritar.

»Hollis, sé que solo fueron unos minutos, pero se hizo interminable. Cada día voy encajando nuevos fragmentos de la imagen, nuevos recuerdos. Padre le gritó a Silas que corriera. Pero Silas… no quiso irse. Padre cogió una espada de la pared y se lanzó a la batalla, y Silas le siguió. Abatieron al menos a dos hombres, que yo viera, antes de… —Tuvo que hacer una pausa—. Primero cayó padre. Yo aparté la mirada, y luego vi saltar a Sullivan delante de mí, a mi derecha. —Meneó la cabeza—. Es como si pensaran que con una sola puñalada no bastara. El modo en que… No puedo contártelo.

—No pasa nada. No tienes que contarme nada de lo que no quieras hablar —dije.

Le tendí la mano, me dio la suya y me agarró con todas sus fuerzas. Un momento más tarde sollozó y se limpió el rostro con el dorso de la mano. Pensé que ya no diría nada más; era evidente que los recuerdos le resultaban muy dolorosos. Pero siguió adelante.

—No vi qué les pasó a tus padres. La verdad es que no paraba de buscarte. No sabía que madre y tú no estabais allí. No dejaba de escrutar la sala con la mirada, aunque me sentía como clavada al suelo. Conservo recuerdos de imágenes fragmentadas. Un cuello. Alguien agarrando a alguien del cabello. Recuerdo que alguien tiró un jarrón. Sangre. Mucha sangre.

»Empezaron a derramar aceite por el suelo y a arrancar todos los tapices que tanto trabajo nos había costado limpiar y colgar. Aún no recuerdo cuándo empecé a ver el fuego.

»Y, de pronto, me encontré a alguien delante, alguien que me agarró de los brazos. Recuerdo que le miré las manos y pensé que eran enormes, casi no parecían humanas. Luego me salieron cardenales de lo que me apretó, pero en aquel momento no sentí nada. Esperaba la espada. Pero él se limitó a mirarme a los ojos; después de escrutarme durante un minuto, agarró a otro hombre vestido de negro. El segundo me miró, asintió, y el que me había tenido agarrada por los hombros me dio un empujón y me hizo salir por la puerta. Conseguí que las piernas me respondieran y me llevaran a la salida. De camino, tropecé con Saul. Estaba inmóvil, pero no lo vi hasta que me encontré en el suelo y me giré para ver con qué había tropezado. Me giré para zarandearlo y hacerle reaccionar, pero ya estaba muerto.

»Entonces tuve que arrastrarme. Me arrastré para pasar por la puerta, para bajar la escalera y llegar hasta los matorrales, donde me oculté. Tenía la mente disparada. Estaba sola. Me habían perdonado la vida, y no podía entender por qué. Estaba preparada para morir, Hollis. Siempre había sabido que podía llegar el momento. Es vivir cuando todos los demás mueren lo que hace que la vida sea tan dura.

Asentí.

—Eso lo entiendo.

Notaba que sus manos iban calentándose entre las mías.

—Estaba hecha un lío, pero intenté trazar un plan. Me preguntaba adónde podía ir, qué iba a hacer, si estaba completamente sola. Me imaginé que tendría que volver a Isolte. Nadie con mi aspecto podría seguir viviendo sola en paz en Coroa. Así que pensé en robar un caballo, viajar al norte y pasar la frontera de Isolte a través de Bannir. Podía vivir en el campo, y nadie sabría que era una Eastoffe; podría envejecer, sin más. Desde que era niña, Hollis, nunca había tenido la seguridad de que llegaría a vieja. Ahora estoy decidida a conseguirlo. Lo haré.

—Claro que lo harás. Cuando acabe todo esto, tendremos respuestas, justicia. Ese hombre no volverá a hacerle eso a nadie —le aseguré.

Ella me besó las manos, aún agarradas a las suyas.

—Por eso te necesitamos, Hollis. Ese es tu papel. Cuando decidiste que querías casarte con un rey, lo hiciste posible. Cuando cambiaste de opinión y quisiste a un chico de Isolte, lo hiciste posible. Cuando te dijimos que te quedaras y no te gustó la idea, conseguiste que te trajéramos. Sueles conseguir imposibles. Que no se te olvide.

Me acerqué a ella y la abracé.

—¡Qué suerte he tenido de contar contigo! —dije—. Quédate esta noche, por favor. Después de oír todo eso y con todo lo que tengo en la cabeza, no creo que pueda estar sin ti.

Asintió, y yo me eché un poco atrás, dejando espacio para que pudiéramos descansar las dos cómodamente. Le agarré la mano y pensé en todo lo que me acababa de decir, en todo lo que había visto. Si seguía recordando cosas, me preguntaba cómo sonaría la historia que pudiera contarme un año más tarde. Era muy duro imaginar que un recuerdo así pudiera crecer, y más duro aún que fuera ella la única en cargar con él.

No estaba segura de que tuviera razón en eso de que yo conseguía que las cosas sucedieran, pero si Scarlet lo veía así, desde luego yo lo intentaría.

11

El tío Reid no bromeaba con eso de que Etan iba a ser mi acompañante a lo largo de todo el viaje. Cuando fui a subir al coche, me llevó a otro que había atrás.

—Ambos son de cuatro plazas, y Etan y tú tenéis que hacer las paces antes de que lleguemos allí —me dijo.

—¡Pero si ya las hemos hecho!

—Bueno —dijo el tío, sonriendo—, pues entonces tenéis que hacerlas mejor.

Me apoyé en su brazo para subir y suspiré, pensando que habría podido ahorrarme aquel viaje. Apenas un minuto más tarde entró Etan, sacudiendo todo el coche y obligándome a agarrarme al borde de la ventanilla.

Se sentó a mi lado, y yo le eché una mirada de reproche.

—¿Te das cuenta de que el asiento de delante está vacío y de que podrías disponer de él para ti?

Él levantó la cabeza un poco y respondió sin mirarme:

—Si voy de espaldas, me mareo. Por supuesto, eres libre de cambiar de asiento si quieres.

Suspiré.

—La verdad es que yo también me mareo.

Me echó una mirada. Me resultó extraño descubrir que teníamos algo en común.

—Mi madre pensaba que mentía y que fingía encontrarme mal para no ir y volver de Keresken. Tardó años en darse cuenta de que le contaba la verdad —reconocí.

Él sonrió, casi sin querer.

—A mí me gustaba sentarme sobre el regazo de mi madre cuando era niño, y a ella le encanta ir de espaldas. Le gusta reconocer el paisaje. En Isolte siempre están probando medicamentos nuevos, así que me hizo probar diferentes cápsulas para el mareo, e incluso relajantes, pero no hubo nada que funcionara. Al final crecí lo suficiente como para sentarme solo y, a partir de ese momento, todo fue bien.

Tras compartir aquellas historias, nos quedamos en silencio. Pero no era un silencio cómodo. Yo oía la respiración de Etan, y era consciente de sus movimientos, sabía cuándo me miraba, como si aún estuviera intentando comprenderme. Pensé que quizá me había ganado su confianza…, pero a lo mejor me equivocaba.

La primera hora de viaje intercambiamos exactamente tres palabras. El coche pasó sobre una piedra y me hizo caer de lado sobre él. De forma instintiva, él alargó la mano y me agarró del brazo para evitar que me cayera. Yo dije «Gracias». Y él contestó «De nada». Pero en algún momento de la segunda hora de viaje, Etan se aclaró la garganta.

—¿Cómo decías que se llamaban tus padres?

—¿Qué?

—Bueno, se supone que ahora formas parte de la familia. ¿No debería saberlo? Estoy seguro de que alguien preguntará para asegurarse de que eres realmente de familia noble.

Meneé la cabeza.

—Mi madre era lady Claudia Cart Brite, y mi padre era lord Noor Brite. Ambos eran descendientes de largas dinastías de la aristocracia coroana, y si hubieran tenido hijos varones, la dinastía… aún seguiría.

—¿Qué te pasa? —preguntó, echándose hacia delante para mirarme a los ojos.

—Nada. Es solo... que acabo de caer en que la dinastía familiar de los Brite ha muerto. Mis padres han fallecido, y yo soy una Eastoffe. Cuando iba a casarme con Jameson, no pensaba en ello. ¿Qué hijo varón podía darles algo así? ¿Qué hijo podía hacerles formar parte de la realeza? Pero no hay hijos varones, y yo no soy reina, y la dinastía familiar ha acabado... por mi culpa.

Era una de las muchas muertes que no acababa de asimilar. Ahora sabía que los Caballeros Oscuros habían decidido ir a por los Eastoffe, estuviera o no estuviera yo. Pero el resto de los presentes no tenían nada que ver. Mis padres, por ejemplo, se habían mostrado contrarios a mi matrimonio con Silas. Y parecía que sus motivos iban más allá de que fuera plebeyo y extranjero, aunque nunca acabé de entenderlos. Fuera lo que fuese, bastó para que se resistieran a venir a la ceremonia, y, de no habérselo rogado yo, quizá se habrían salvado. Me sentía muy culpable por su muerte, y era un sentimiento de culpa que no podía expresar porque había concentrado mi duelo en Silas. Sin embargo, el dolor seguía ahí, profundo e intenso, y no había manera de eliminarlo.

—¿Cómo es que tus planes de ser reina no llegaron a buen puerto? Cuando visitamos vuestra corte la primera vez, parecía que estaba todo decidido —comentó Etan, como si nada.

—Eso parecía, ¿verdad? —respondí, sorprendida yo también. Había tenido la corona muy cerca—. Se ve que un par de ojos azules me desviaron de mi objetivo. —Sonreí, perdida en mis recuerdos—. Jameson... era una aventura. Era como un juego que había que dominar, o un desafío que conseguir. Pero con Silas sentí que era el destino. Era como si el mundo girara a su alrededor. No sé si sabría describirlo con palabras.

Etan meneó la cabeza.

—¿Y ahora que ya no está? ¿A eso también lo llamarías destino?

Su tono no era de burla, ni siquiera desagradable; más bien parecía de pura curiosidad: ¿qué conclusión podía sacar de una historia de amor que apenas había superado la primera página?

—Pues sí. Quizá nuestra historia vaya más allá de lo vivido.

Se quedó pensando.

—Quizá sí.

—Eso no significa que no me duela —dije, con mucha menos energía en la voz—. Temo constantemente olvidarme de cómo eran sus ojos. O de cómo era su risa. Me preocupa que todo desaparezca…, y luego me pregunto si esforzarme en seguir adelante no será un error.

No pensaba contarle tanto, pero era cierto. Y me dolió. Durante unos instantes, no se oyó más que el ruido de las ruedas girando, girando sin parar. Y justo cuando pensaba que Etan estaba mostrándose más sensible, decidió hacer caso omiso de mi dolor.

Por fin lo oí toser.

—Ese, señorita, es un miedo que comprendo bien.

Reuní valor y lo miré, pero él tenía la mirada puesta en el exterior de la ventana, así que no le pude leer el gesto.

—Hace cuatro años perdí a Tenen. El año pasado, a Micha. Dos semanas antes de que nos obligaran a visitar Coroa, perdí a Vincent y a Giles.

—¿Familiares?

—Amigos —me corrigió con suavidad, girándose a mirarme—. Amigos tan cercanos que yo los consideraba familia. Y ahora soy el último superviviente... No entiendo por qué. Tengo la sensación de que debería haber muerto hace mucho tiempo. —Meneó la cabeza—. Todos mis seres queridos mueren. Es uno de los motivos por los que aún no puedo entender a Silas. Casi me enfadé con él cuando me enteré de lo de vuestra boda.

—¿Cómo?

—No es porque cayera tan bajo como para casarse con una coroana —dijo, burlón, aunque por una vez tuve claro de que no lo decía con mala intención—. Después de todo lo que había vivido nuestra familia, no se me ocurre nada más insensato que meter a otra persona en esto. No podía creerme que se hubiera casado con nadie. A mí nunca me verás de novio.

—Pues rezaré una oración de agradecimiento por el sufrimiento que le habrás evitado a alguna pobre chica.

Esbozó una mueca socarrona.

—No todos tus seres queridos mueren —observé—. Tus padres siguen vivos.

Él sonrió, pero con una sonrisa triste.

—Sí, pero son lo último que me queda. Tú eres nueva en esto; no tienes ni idea de la cantidad de gente que hemos perdido. Y si crees que no me preocupa que mis padres puedan estar dirigiéndose hacia la muerte hoy mismo, te equivocas.

Tragué saliva.

—No creo que quiera matarnos en una boda.

Él se encogió de hombros.

—Yo creo que primero el rey quiere que seamos testigos de su mayor triunfo —dijo él—, pero eso no me deja tranquilo. Si fuera por mí, nos marcharíamos justo después de la ceremonia. Aunque, por supuesto, es mi padre el que decide.

—Quizá podría decir que no me encuentro bien y que

necesito volver a casa, y dado que tú tienes que hacerme de acompañante en todo momento…

Eso pareció gustarle.

—Tal vez sea la mejor idea que has tenido hasta la fecha.

—Yo tengo muchas buenas ideas —protesté, cruzándome de brazos.

—Ah, sí, claro: como dejar plantado a un rey o escapar a medianoche. Eres brillante, qué duda cabe —rebatió, con el claro objetivo de chincharme.

—Tú te metes voluntariamente en escaramuzas fronterizas, distanciándote de tu familia… No creo que seas el mejor para criticar mis decisiones.

—Y aun así voy a seguir criticándolas —dijo, sonriendo, aparentemente satisfecho consigo mismo.

Meneé la cabeza y volví a mirar por la ventanilla. Siempre tan seguro de sí mismo, siempre dispuesto a replicar… Desde luego, Etan era insufrible.

El campo isoltano dio paso a una zona de casas bajas y luego a casas más grandes; cuando entramos en la carretera, pavimentada con piedras, y nuestro coche dio un bote, no pude contener un gritito.

—Aquí usan mucha piedra —dijo Etan—. En la costa hay un montón, así que verás piedra por todas partes, especialmente aquí, en la capital.

—¿Ya hemos llegado? —pregunté, asomándome para mirar.

—Casi. Y yo en tu lugar metería la cabeza. Que estemos acercándonos al castillo no significa que no haya gente peligrosa por ahí. De hecho, diría que cada vez habrá más.

—Oh —dije, volviendo a mi sitio, sin dejar de mirar, aunque disimulando un poco.

Había casas de dos plantas tan juntas unas a otras que apenas quedaba suficiente jardín en medio como para unos parterres de flores. Pero muy pronto esas casas desaparecieron; en su lugar, vi otras apretujadas unas contra otras que se elevaban hacia el cielo. Había tiendas en la planta inferior, muchas de ellas con vitrales emplomados tras los cuales se mostraba la mercancía a la venta.

Una mujer sacudió una alfombra; un hombre tiraba de una vaca tozuda para hacerla caminar por un callejón. Unos niños muy sucios correteaban descalzos, aunque también vi a una niña muy arreglada, agarrada de la mano de su madre, caminando por la calle.

—¿Aquí viven pobres?

—Algunos. En la ciudad vive mucha gente. Algunos prefieren trabajar de curtidores o de modistas a cultivar el campo. Pero la gente vive muy junta y, como puedes ver, no hay demasiada limpieza. Aun así, con el auge de la industria, hay mucho trabajo.

—Huele mal.

—Sí, princesa —dijo él, suspirando—. Sin embargo, por las cercanías del castillo la cosa cambia.

Pasaron unos minutos más, y Etan señaló algo al otro lado de la ventanilla. Me hizo un gesto para que mirara.

—El palacio de Chetwin. Ahí lo tienes.

Miré y vi el edificio más imponente que jamás había visto. Los tejados caían, en todos los ángulos posibles, muy inclinados, tal vez para protegerlos de las frecuentes nevadas, y estaban cubiertos de algún material oscuro y brillante. Las piedras usadas para la construcción del palacio eran las mismas que las de las carreteras, con betas blancas, lo cual las hacía algo frías, sobre todo en comparación con las de tonos cálidos de Coroa.

Desde luego, el castillo intimidaba. Y, aun así, su extraña belleza me impresionaba. Como si me leyera la mente, en el momento en que entrábamos en el recinto, Etan observó:

—Cuando éramos niños, la imagen del palacio me deslumbraba. Las altas torres, las banderas ondeando al viento… No es de extrañar que la gente crea que los reyes son dioses. Solo hay que ver dónde viven.

Hizo un gesto con la mano mostrando toda la extensión del castillo, como si no hubiera una palabra que bastara para definir toda aquella grandeza. Tenía razón, por supuesto, y resultaba a la vez impresionante y aterrador.

—¿Sabes eso que dices que piensas del matrimonio? Pues eso es lo que me provocan a mí las coronas. No me acercaría a una ni por todo el dinero del mundo…, aunque lo cierto es que el castillo de Keresken me encantaba. Siempre estaba descubriendo rincones nuevos donde encontraba cosas bonitas que no había visto nunca. Y el modo en que la luz atravesaba los vitrales de la sala del trono…, eso me dejaba sin palabras. Aún me ocurre.

Él sonrió.

—Si pudieras construirte tu propio castillo…

—Vitrales por todas partes. —Suspiré—. Evidentemente.

—Y un jardín enorme.

—¡Sí! —exclamé—. Con un laberinto.

—¿Un laberinto? —preguntó él, escéptico.

—Son muy divertidos. Y flores perfumadas.

—Una sala del trono redonda.

—¿Redonda? —repliqué, con una mueca.

—Sí —insistió él, con un tono que dejaba claro que para él era evidente—. Si una sala es rectangular, hay parte de adelante y de atrás. Eliminemos las jerarquías. Si es redonda, todo el mundo mira hacia el centro. Todos son bienvenidos por igual.

Sonreí.

—Muy bien. Pues que tenga una sala del trono redonda.

El coche se paró, y Etan me lanzó una mirada seria pero reconfortante.

—¿Estás lista?

—Creo que sí. Sí.

—Muy bien —dijo él, y bajó de un salto, levantando grava del suelo al caer.

Le cogí la mano y descubrí en su rostro una sonrisa de lo más genuina.

12

Me llevó junto al resto de la familia, que también estaba bajando de su coche. Madre se frotaba la espalda, y la tensión en los hombros de Scarlet era innegable.

—Se los ve muy diferentes —le susurré a Etan.

—Estamos en el castillo —respondió él—. Tú intenta ser la misma. Te necesitarán.

Asentí, me acerqué a Scarlet y la abracé.

—¿Ha sido muy duro? —me preguntó en voz baja.

—Bueno, no ha habido derramamiento de sangre, así que me lo tomaré como una victoria.

Ella esbozó una sonrisa y ambas nos giramos hacia madre.

—¿Qué es lo primero que tenemos que hacer?

Fue el tío Reid quien respondió:

—Primero tenemos que presentarnos ante el rey —dijo, girándose para ofrecerle el brazo a la tía Jovana.

Tras ellos, madre y Scarlet se cogieron de la mano.

—¿Ahora mismo? —le pregunté a Etan entre dientes.

Él se ajustó la daga que llevaba al cinto. No la había visto hasta ese momento.

—Más vale ver de qué humor está y cuáles son sus intenciones lo antes posible. Y quizá se calme un poco cuando vea a la tía Whitley y a Scarlet solas. Más vale hacerlo enseguida.

Me alisé el vestido, lo cual resultó tan difícil como me imaginaba, con el drapeado de aquellas mangas isoltanas, y tragué saliva. Sabía que aquello tenía que pasar. Antes o después debía mirar a aquel hombre a la cara. Tendría que ser respetuosa y guardar silencio, sabiendo en todo momento que estaba mirando a la cara a la persona que había ordenado la muerte de mi marido. Casi sin darme cuenta, me encontré respirando rápida y entrecortadamente, al caer en lo cerca que tenía a mi enemigo.

—¿Qué te pasa? —preguntó Etan, sin mirarme directamente. Sus ojos escrutaban la multitud que teníamos alrededor.

—Etan, no creo que pueda hacerlo —susurré.

Él me tendió el brazo, muy tranquilo, acostumbrado como estaba después de haber hecho aquello cientos de veces a lo largo de los años.

—No lo vas a hacer sola. Vamos a hacerlo juntos.

Insinuó una sonrisa, y yo apoyé mi temblorosa mano sobre su brazo. Nos situamos detrás de nuestros familiares y los seguimos. En la entrada al palacio de Chetwin había unos postes de piedra circulares clavados en el suelo que bordeaban el camino de piedra. A diferencia de la gran explanada de grava que había en Keresken para que la gente dejara los caballos y los coches, allí había un espacio semicircular donde se esperaba que bajáramos de los vehículos para que los conductores después se llevaran los coches a otro lugar. Eso dejaba espacio para un amplio jardín de hierba, y aunque era bastante terreno, estaba completamente vacío. Aparté la mirada del césped y fijé la vista en las pálidas paredes de piedra.

Quizá fuera porque había huido de Keresken, de Jameson, pero entrar en otro castillo era como cambiar pulseras por cadenas. Lo único que veía era el precio que tenía cada favor, las invisibles limitaciones forjadas por la presión social. Más allá de todos aquellos bailes y fiestas estaba el peso del trono, que tenían que soportar también los que estaban cerca.

Si aquello salía bien, no volvería a acercarme a ninguna corona del continente. Nunca más.

Observé lo inevitable: la gente vio al tío Reid y lo saludaron efusivamente, contentos de verle. Saludaron a madre y a Scarlet con movimientos de la cabeza, y dio la impresión de que hasta entonces no se dieron cuenta de que faltaban varios miembros de la comitiva. Y luego me vieron agarrada del brazo de Etan. A una extraña. Hubo gestos de perplejidad y de complicidad, aunque la mayoría fueron lo suficientemente educados como para no hacer comentarios.

De vez en cuando oía murmullos, aunque todos hablaban en voz baja.

—¿Cómo se les ocurre a los Northcott invitar a alguien de Coroa? —preguntó alguien.

—Yo diría que precisamente ahora es una alianza algo arriesgada —respondió otra voz.

No fueron comentarios tan crueles como cabía esperar. La mayoría parecía más de preocupación que críticos, pero, aun así, tuve la clara sensación de que no era bienvenida.

—Supongo que la educación recibida para ser reina te habrá enseñado a asimilar tales comentarios —señaló Etan, intentando mantener un tono de voz distendido, algo que yo agradecía.

—Tendrías que haber oído lo que dijeron cuando me caí al río —respondí con una mueca.

Él me lanzó una mirada rápida, atónito.

—¿Te caíste en...? No es el momento, pero espero que me lo cuentes más tarde.

—Perdí los zapatos —dije con una risita.

—Vaya —respondió, meneando la cabeza con un gesto divertido—. Increíble. ¿Silas lo sabía?

—Ocurrió antes de que llegara a Coroa, y fue lo primero que mencionó en cuanto me conoció.

Ahora sí, Etan soltó una risa.

—Perfecto.

Estaba acostumbrada a una corte atestada, al ruido y a la falta de espacio. Probablemente cabría esperar que aquello me resultara familiar, pero no conseguía acostumbrarme. Intenté no fijarme demasiado en las miradas que me echaban por el camino hasta el salón del trono. Por todas partes se veía la misma piedra gris blanquecina, y la luz que entraba por las ventanas, altas y finas, se proyectaba en ángulos largos y altos. Era bonito, aunque ni la mitad de bonito que el Gran Salón de Keresken. Los tapices eran gruesos, pero sencillos; los candelabros eran toscos en comparación con los de Coroa. Daba la impresión de que no se enorgullecían de su trabajo, que no se esforzaban para ver si podían hacerlo mejor.

Estaba tan perdida en la simplicidad del salón que no vi al rey Quinten hasta que llegó el momento de hacer una reverencia ante el trono.

—Majestad —saludó el tío Reid, bajando la cabeza para mostrarle sus respetos.

A continuación, imponiéndome a mis instintos, yo también hice una reverencia ante aquel monstruo.

—Lord Northcott —dijo él, dirigiéndose al tío Reid con tono aburrido—. Tienes buen aspecto. ¿Quién te acompaña?

—Mi esposa y mi hijo, Etan. Y nuestras familiares, lady Eastoffe, Scarlet Eastoffe y mi nueva sobrina, Hollis Eastoffe.

Al decir aquello, una cabecita rubia asomó por encima de la figura del tío Reid y me encontré cara a cara con Valentina, que estaba sentada en su trono. La primera vez que nos habíamos visto me había parecido una presencia imponente, decidida a dejar una impresión, fuera buena o mala, en cualquiera que tuviera contacto con ella. Ahora me parecía una jovencita asustada. Intentaba ocultarlo, por supuesto, algo a lo que se había acostumbrado. Quizá fuera ver el rostro de una amiga lo que hizo que sus sentimientos afloraran a la superficie. Me sonrió tímidamente, y yo no pude evitar sonreír a mi vez, contenta al verla, por fin sana y salva. Corrigió su postura en el trono, para poder verme, y yo me quedé mirándola, deseando poder romper las normas que conocía tan bien y correr a abrazarla.

Pero no tardé mucho en darme cuenta de que Valentina no era la única que me miraba; Quinten también lo hacía.

—Vaya, vaya. Había oído que Jameson había perdido a su novia, pero no imaginé que acabaría en mi corte. ¿Cómo es que has acabado aquí, niña? —dijo, con la misma voz aburrida, pero a la vez con un tono amenazante.

Antes de responder tuve que inspirar profundamente para recomponerme.

—Estoy aquí con mi familia, majestad. Ahora soy una Eastoffe.

Él se recostó en su trono, observándonos, confundido. No sabría decir si le extrañaba que me hubiera unido a la familia que había intentado asesinar, o si simplemente le sorprendía que no me hubieran matado con el resto. Fuera lo que fuese, parecía tan descolocado como incómoda estaba yo.

—¿Me estás diciendo que dejaste a un rey por un artesano? ¿Y además traidor a su reino?

—Silas Eastoffe habló siempre muy bien de Isolte, majestad. Le dolió mucho dejar su país —dije, intentando ser diplomática, pero sin necesidad de mentir.

Silas llevaba a Isolte en el corazón. La tierra, la comida, las costumbres…, era algo que llevaba muy dentro. Lo único que le había obligado a dejar su amada patria era el hombre que me estaba hablando en aquel momento.

—¿De verdad? —preguntó Quinten, escéptico—. Y si tanto cariño le tiene a su país, ¿cómo es que ahora no se deja ver?

El muy desgraciado. Quería obligarme a decirlo. Miré alrededor, sintiendo todas aquellas miradas de curiosidad puestas en mí, esperando una respuesta. Hice un esfuerzo por no llorar.

—Está… —Se me quebró la voz y respiré hondo otra vez. Noté el pulgar de Etan, acariciándome la mano que tenía apoyada en su brazo. «No estás sola», decía. Volví a intentarlo—. Está muerto, majestad.

El rey Quinten tenía muchos defectos, pero desde luego era un buen actor. Siguió frunciendo el ceño mientras nos estudiaba a los seis, observando que allí faltaban varios miembros de la familia.

Por otra parte, los presentes en la sala se habían quedado perplejos al recibir la noticia. Unos cuantos habían mantenido silencio para escuchar mi conversación con el rey, y estaban dándoles golpecitos en el hombro a los otros, susurrándoles las noticias al oído. Cuando Quinten volvió a hablar, solo se oían algunos murmullos.

—¿Y lady Eastoffe? ¿Tu marido también ha fallecido?

—Sí, majestad. Él y mis tres hijos.

La voz se le quebró al pronunciar la última palabra, pero consiguió mantener la compostura.

El rey se quedó mirándonos, y no tuve claro si estaba satisfecho de tenernos ahí, haciéndole los honores a su hijo, como era su deseo, o si estaba decepcionado al ver que su trabajo había quedado incompleto. La verdad es que su expresión era una máscara de sorpresa.

Aquello era una manipulación tan cruel que no pude seguir mirando. Aparté la mirada y vi un hombre con una barba corta y gris, y con entradas. Tras oír la noticia, el labio le temblaba. A su lado, una mujer negaba con la cabeza y le susurraba algo a su marido, incrédula. Yo sabía que lord Eastoffe era un buen hombre y que sus hijos eran dignos sucesores suyos. Incluso para un pueblo más bien frío como el de Isolte, la pérdida de unas personas tan buenas era un golpe muy duro.

—Tenías razón —le susurré a Etan—. Nadie lo sabía.

Él frunció los labios, aparentemente molesto. Pero, de pronto, el rey Quinten siguió con lo suyo:

—Viuda Eastoffe, cuando os fuisteis a Coroa os quité la propiedad de vuestros aposentos, tal como correspondía a un comportamiento como el de tu familia. Pero siguen intactos, y creo que bastarán para acoger a toda la comitiva. Podéis marcharos.

Hice una reverencia antes de salir y levanté los ojos para ver a Valentina una última vez. Ella asintió; daba la impresión de que quería consolarme, aunque era imposible que pudiera hacerlo. Etan empezaba a dar media vuelta, así que le seguí, cambiando de mano.

Etan me sacó enseguida de allí, y no redujo el paso hasta que estuvimos en el pasillo. Me giré sobrecogida al oír los sollozos de madre, que lloraba a nuestras espaldas.

—Tranquila, madre. Aquí nadie te llamará así, estoy segura —dijo Scarlet, intentando animarla, sin mucho éxito.

Madre tenía la cabeza caída hacia atrás, en una posición angustiosa, apoyada sobre el hombro de la tía Jovana.

—Viuda Eastoffe. No lo soporto. No puedo.

—Perdone… ¿Lady Eastoffe?

Todos nos giramos en dirección a un hombre que salía del salón principal y se acercaba a nosotros.

—Lady Eastoffe —dijo de nuevo, con voz afligida, al tiempo que le cogía la mano—. ¿Es cierto eso?

Ella le miró, con una sonrisa triste en el rostro.

—Lord Odvar. Me temo que sí.

—¿Los chicos también? —dijo él, negando con la cabeza—. ¿Silas?

Ella asintió. En otro momento no me habría llamado la atención que hubieran preguntado por Silas en particular. Ahora que sabía que la gente había puesto tantas esperanzas en él, lo entendía. Quizás aún hubiera gente que esperara su regreso.

Lord Odvar se giró hacia mí.

—¿Y tú? ¿Eres la joven viuda de Silas?

Desde luego, madre tenía razón…, cuánto dolía esa palabra. Era como una etiqueta que certificaba tu pérdida, eliminando todo lo demás. Ni lady ni prometida… Era la definición de alguien a quien le habían robado lo más preciado.

—Sí, señor.

Él se acercó y me tendió la mano. Vacilante, le ofrecí la mía. Él se la llevó a los labios y la besó.

—Debo suponer que eres una dama única, si realmente fuiste un día del brazo de un rey.

Agaché la cabeza.

—Un día, señor. Hace mucho tiempo.

—No te mentiré. Me impresiona mucho más que seas la mujer que le robó el corazón a un hombre como Silas Eastoffe. Bienvenida a Isolte.

13

Etan avanzaba decidido por los pasillos, que eran tan estrechos que apenas cabían dos damas con sus vestidos de gala caminando una al lado de la otra. También eran mucho más laberínticos de lo que yo estaba acostumbrada, con innumerables desvíos que llevaban a sitios desconocidos. Empecé a fijarme en las escasas obras de arte, con la esperanza de poder llegar a orientarme sola si establecía unas cuantas referencias.

Aún sentía en la mano el calor del contacto de mi nuevo e inesperado amigo, lord Odvar. Daba la impresión de que Silas me ayudaba incluso después de muerto.

—Aquí es —dijo Etan, doblando una última esquina.

Los criados ya estaban colocando baúles en las habitaciones, sabiendo que estaríamos allí pese a que no se les había dado ninguna indicación.

—Cuidado con ese —les advirtió el tío Reid, en el momento de meter el suyo en la habitación. Era el último, y menos mal, porque yo necesitaba que todos los ojos de aquel castillo desaparecieran, aunque solo fuera por un minuto.

La entrada era amplia, aunque algo oscura. El apartamento, a diferencia del último que había tenido en Keresken, se componía simplemente de cuatro dormitorios.

—Este para ti —propuso la tía Jovana, indicándole a madre el que debía de ser el dormitorio más grande, el suyo.

—No, no… Para vosotros. No quiero crearos más incomodidades.

—Entonces usa este —dijo Etan, haciéndole pasar al que supuse que sería su dormitorio.

—Chicas, no os importa compartir habitación, ¿verdad? —preguntó el tío Reid.

Scarlet y yo sonreímos.

—No, lo preferimos —respondió Scarlet por las dos.

—Excelente.

Sin decir nada, Etan se apropió de la habitación en el extremo derecho del apartamento, así que Scarlet entró en el de la izquierda. En su interior me encontré una gran cama con dosel, varias ventanas dobles por las que entraba mucha luz y una chimenea apagada en la pared que daba a la habitación de Etan.

Scarlet y yo empezamos a guardar nuestras cosas: los arcones a los pies de la cama, las bolsas en la esquina, los vestidos colgados para que les diera el aire. Yo había traído lo que tenía, pero eran vestidos más aptos para la corte de Coroa que para la de Isolte. No obstante, sabía que Scarlet me dejaría los suyos, y solo eran unos días.

—¿Chicas? ¿Etan? —nos llamó el tío Reid—. Salid cuando podáis.

Etan estaba en el salón antes que nosotras, y allí nos encontramos al tío Reid y a madre juntos, hablando, y a la tía Jovana sonriéndoles, aparentemente admirada de su tenacidad.

—Ah, ahí estáis —dijo el tío Reid—. Bueno, ya hemos superado la presentación; ahora tenemos que prepararnos para el próximo evento: la cena. Esta noche, el objetivo es mantener las orejas bien abiertas. Hollis tenía razón: probablemente, este sea el mejor lugar para encontrar pruebas irrefutables de cualquier traición que haya cometido el rey.

Hablad con las familias que viven aquí, averiguad si alguien ha oído algo. —Hizo una pausa y se aclaró la garganta antes de seguir—. Y… creo que tenemos que fijarnos un segundo objetivo. Si vamos a intentar derrocar al rey realmente, y dado que los que estamos en esta sala somos los únicos con derecho a hacernos con el trono, necesitamos recabar apoyos. Hablad, consolad, seducid. Haced lo que tengáis que hacer. Si demostramos que Quinten actúa mal, pero no hemos calculado bien la voluntad de la gente de alzarse en su contra, todo esto puede resultar en vano.

Hablaba muy en serio, pero esa era la menor de mis preocupaciones. Si había alguien que pudiera ganarse el apoyo de la gente, era Reid Northcott.

Scarlet me recogió el cabello al modo típico de Isolte, en varias trenzas unidas después en un bonito moño. Pesaba un poco, pero era un sencillo modo de demostrar que quería apaciguar al anfitrión. Además, por el bien del tío Reid, no quería destacar demasiado.

—Y este es el toque final —dijo ella, trenzando pedrería azul con mi cabello rubio, de un tono más parecido al suyo y al de Valentina que al de cualquier joven de Coroa.

El vestido era casi amarillo, no del tono dorado que solía usar yo, pero tampoco tan apartado del color que más familiar me resultaba. Los tonos azules desde luego eran algo nuevo para mí.

—Gracias.

—¿Puedo contarte algo? —dijo Scarlet—. Eres la única a la que se lo puedo decir.

—Por supuesto —respondí, levantándome para que pudiera ocupar mi lugar frente al espejo.

—Hoy he recordado otra cosa —dijo, casi en un murmullo—. Recuerdo que había llamas en las cortinas antes de ver volar aquel jarrón. Así que el fuego se inició antes de lo que yo pensaba.

—¿Cómo te vienen esas cosas a la cabeza? —pregunté, meneando la cabeza.

Ella abrió la boca varias veces, intentando darme una explicación, pero no lo conseguía.

—No lo sé. Es como si tuviera delante la imagen completa del momento, pero de pronto giro la cabeza y me centro en un fragmento. Y cuando lo hago, lo veo con claridad. Espero no pensar tanto en ello una vez que haya recuperado todos los detalles.

Apoyé las manos sobre las suyas.

—Cada vez que quieras hablar, yo te escucharé, Scarlet.

—Lo sé —respondió, con una sonrisa fatigada en el rostro.

Me puse a recogerle el cabello, haciéndole algo parecido a lo que me había hecho ella a mí.

—No tienes por qué estar nerviosa —me dijo, probablemente porque notaba que me temblaba el pulso.

—Me preocupa que el tío Reid pierda credibilidad por su proximidad con una coroana que ha abandonado su país.

—Una coroana que se casó con uno de los mejores hombres de Isolte, querrás decir.

Sonreí.

—Sí que lo era. Aun así, me pregunto si debería mantenerme al margen.

—El tío Reid nos ha pedido que hagamos frente común. Tú y Etan lo estáis haciendo estupendamente hasta ahora, y eso dice muchísimo de la fuerza que tiene nuestra familia, por pequeña que sea. Además, la animosidad entre nuestros países se exagera. Confía en mí. Es como cuando todos fuimos de visita a la corte de Coroa. ¿Tan mal fue?

Torcí la nariz, haciendo un esfuerzo por recordar.

—No. No fue una ocasión memorable, pero daba la impresión de que había amistades a ambos lados de la frontera.

—Porque las hay. A los reyes les gusta hablar, y siempre habrá quien tenga prejuicios con los extranjeros. A Quinten supongo que le sirve para mantenerse en el poder: esa creencia de que necesitamos a alguien como él para protegernos de alguien como tú.

—Sí, la verdad es que doy bastante miedo —dije, soltando una risita.

—Pero ya verás. Son una minoría. Lo eran en Coroa, y aquí también.

Esperaba con todo mi corazón que fuera cierto. Sabía que existía gente así, pero quizá, solo quizá, fueran cada vez menos. Cabizbaja, sentí que de pronto necesitaba confesar algo.

—¿Me odiarías si te dijera que en otro tiempo yo formaba parte de esa minoría?

Ella sonrió.

—En absoluto. Lo pasado, pasado está.

Le di un beso en la mejilla.

—Vamos, anda.

Entramos en la sala principal, donde nos esperaban los demás. Madre caminaba nerviosa de un lado al otro. El tío Reid y la tía Jovana charlaban en voz baja junto al fuego, y Etan estaba sentado en un gran sillón.

Al vernos, levantó la cabeza un poco. Su gesto, normalmente hosco, se transformó por un momento en algo parecido a la satisfacción.

—Vaya, chicas —dijo madre—. Estáis las dos guapísimas.

La tía Jovana, a su lado, parecía tan contenta que tenía los ojos húmedos de felicidad.

—Bueno, pues ya estamos todos. ¿Listos? —preguntó el tío Reid.

Scarlet y yo asentimos, y Etan se levantó de un salto para situarse a mi lado y acompañarme al banquete.

—¿Sabes? —dijo—, hoy casi podrían tomarte por una dama.

—Es una lástima que no haya terciopelo suficiente para disimular tu aspecto de sinvergüenza.

—¿Sinvergüenza? —respondió, considerando la palabra—. Bueno, puedo vivir con eso. Toma —dijo, ofreciéndome el brazo, con una sonrisita burlona insinuada en el rostro. Me agarré, y ocupamos nuestro lugar tras el resto de familiares, listos para salir por la puerta.

—Escucha —le dije en voz baja—: sé que el tío Reid quiere que estemos todos juntos, y que Scarlet me quiere tanto que no sería capaz de decirme que me apartara, pero confío en que tú serás sincero. Si ves que estoy demasiado en medio, dímelo y me iré.

Él me miró, muy serio.

—Lo haría. Sabes que lo haría. Aunque creo que mi padre tiene razón. Quinten tiende a infundir miedo a las personas; creo que será agradable para la gente recibir, por una vez, otros estímulos: esperanza, amabilidad, simple humanidad.

—Un momento... ¿Tú posees simple humanidad?

—En cantidades muy pequeñas, así que no recurras a ella demasiado —bromeó. Me pareció gracioso y me reí—. Tú sigue nuestro ejemplo, quédate conmigo y muéstrate todo lo simpática que puedas. Al fin y al cabo, lo único que tienes que hacer es comer y bailar.

Hice una mueca de satisfacción.

—Ah, por fin algo que se me da bien.

Etan lucía una gran sonrisa cuando entramos en el Gran Salón. Yo, inconscientemente, le agarré el brazo con más fuerza. Cuando sabes que hay unos cuantos a los que no les gustas, el problema es que no tienes modo de saber quiénes son. Así que, para no meterme en ninguna situación comprometida, tenía que actuar como si todo el mundo formara parte de esa minoría, hasta que quedara demostrado lo contrario.

Nuestros asientos estaban increíblemente cerca de las mesas presidenciales, lo cual tenía sentido, ya que los Northcott y los Eastoffe eran los únicos parientes consanguíneos de Quinten presentes en la sala. De hecho, eran los únicos en el mundo. Eso me hacía sentir expuesta, y deseé que hubiera algún modo de arrancarme toda aquella tela que me envolvía los brazos como una armadura.

—Etan Northcott, ¿eres tú?

Ambos nos giramos y nos encontramos con una mujer que lo miraba, perpleja, desde el otro lado de la mesa.

—¡Lady Dinnsmor, lord Dinnsmor! ¡Cuánto tiempo!

A Etan se le iluminó el rostro; nunca lo había visto así. Se acercó a cogerle la mano, y ella le agarró la suya con las dos.

—Lo último que sabíamos de ti era que estabas de nuevo en el frente. No pensábamos verte aquí —dijo la señora, aliviada.

—Sí, volví —puntualizó—, pero luego mi padre mandó llamarme. Seguro que se habrán enterado de que recientemente mi tío, lord Eastoffe, y sus hijos... murieron. Me tocó a mí ir en busca de mi tía y mis primas.

Lo dijo con la máxima naturalidad, como si Scarlet y yo fuéramos hermanas. Por los rostros de la pareja quedó claro lo que ya sabíamos: aquello era una novedad.

—¿Y cómo murieron? —preguntó el caballero, apesadumbrado.

—Asesinados. Lanzaron un ataque durante la boda de mi primo Silas, en Coroa. Permítanme que les presente a su viuda, Hollis Eastoffe.

Ambos me miraron, afectados.

—Pobrecilla. Lo siento muchísimo.

—Gracias, milady —respondí, y vi en sus ojos que de verdad lo lamentaba.

—Silas era un hombre muy listo, un pacificador —comentó.

Me quedé pensando en aquello, en cuando Valentina me había dicho que Silas solo quería que la gente pensara, en cuando se había presentado a una justa sin lucir los colores de ninguno de los dos países, en que nunca parecía encogerse. No era de extrañar que se ganara el apoyo de la gente; estaba hecho para la paz.

—Así es. Me considero afortunada por haberle querido. Y de la nueva familia que he conseguido gracias a él.

Ella sonrió y me miró de arriba abajo.

—Entonces, ¿eres de Coroa?

Tragué saliva. ¿Minoría o mayoría, minoría o mayoría?

—Pues sí.

—¿Y aun así has tenido la valentía de venir con tu familia política?

—Mis padres también murieron en el ataque. Lady Eastoffe y Scarlet son la única familia que me queda.

No parecían molestos por mis orígenes; solo tristes por mí. Si no hubiera estado advertida, quizá ni me habría dado cuenta, pero vi claramente que se miraban entre sí… y que luego lanzaban una mirada al trono.

—Siento mucho tu pérdida. Es algo muy duro para alguien tan joven.

—Gracias, señor.

Luego miró a Etan.

—¿Sabemos si…?

—No podemos demostrar nada.

—Silas… —dijo, meneando la cabeza—. Él odiaba a Silas.

—Así es.

El caballero soltó un gran suspiro, casi rabioso.

—En cuanto tengas la certeza, avísanos.

Etan asintió, los Dinnsmor se marcharon a hablar con otras personas y nosotros nos movimos de allí para poder observar el resto de la sala.

—¿De qué los conoces? —le pregunté en voz baja.

—Por el camino te he mencionado a Micah, un amigo que perdí en el frente. Son sus padres.

Lo miré, sin poder reaccionar.

—A veces me mandan cosas. Notas, algún detalle. Una vez me mandaron un silbato. Supongo que me tratan como un hijo para compensar la pérdida del suyo —dijo, y tensó la mandíbula—. Tenía que haber sido yo.

—Si vuelves a decir algo así en mi presencia…, te obligaré a oír mi voz una hora seguida. Puedo hablar de cualquier cosa y soy muy tozuda, así que vete con cuidado.

En sus pómulos observé la sombra de una sonrisa vacilante.

—Yo creo que torturar a civiles es ilegal —dijo, aún con gesto triste.

—Bueno, tú mismo has dicho que no soy isoltana, así que, en realidad, no me importan mucho vuestras leyes. Deja de hablar de ese modo. Estás vivo. Muy vivo.

Él asintió, respiró hondo y volvió a centrarse en los invitados. Yo miré a Valentina. Ella me vio y, a modo de saludo, movió los dedos, apenas levantándolos de la mesa. Yo le devolví el gesto.

—Ojalá pudiera hablar con ella —murmuré.

—¿Debo recordarte que es el enemigo?

Suspiré.

—Justo cuando empezaba a pensar que resultabas tolerable. No, no lo es.

Etan la miró de refilón.

—Sí que está un poco pálida. Quizás esté embarazada.

—Eso espero, por su bien —dije, intentando pensar en algo que me permitiera acercarme lo suficientemente a ella como para preguntárselo. No podía presentarme allí sin más y… Etan estaba mirándome fijamente, y no me dejaba concentrarme—. ¿Qué pasa?

—¿Qué quiere decir eso?

Tragué saliva y me acerqué a él para que nadie nos oyera.

—Ya ha perdido tres niños. Parecía muy preocupada por su futuro si no consigue… ¿Qué pasa? ¿Por qué me miras así?

—¿Estás segura de eso? —susurró—. ¿Tres abortos? ¿Estás segura?

—Sí. Me lo dijo ella misma, pero no debía contárselo a nadie. Confío en tu discreción, Etan. De verdad.

—¿Se lo has contado a alguien más?

—A Silas. Y él quería contárselo a su padre, pero yo le rogué que no lo hiciera.

Etan sacudió la cabeza.

—Debía de quererte muchísimo. Esa es una noticia muy importante. Y explica muchas cosas. Quinten contaba con tener un heredero al que cederle el trono, y nunca ha tenido muy claro cuántos años vivirá Hadrian. Evidentemente, ya ha renunciado a la esperanza de tener hijos con Valentina, así que ahora espera que Phillipa conciba rápidamente. Por eso están celebrando esta boda.

Si todo eso era cierto, lo único que podía pensar era en la pena que me daba Valentina, atrapada en un matrimonio sin amor con el rey más cruel que se recordaba. El divorcio parecía una opción demasiado optimista. Si Quinten había sido capaz de eliminar a Silas por interponerse en su camino, ¿qué le costaría hacer lo mismo con Valentina?

Luego miré a la novia de Hadrian. La observé atentamente, y aunque hablaba animadamente con cualquiera que se presentara a saludarla, estaba claro que cuando miraba a Hadrian, solo se percibía indiferencia. No desdén ni compasión. Era más bien resignación ante lo que tenía que hacer y hacia la persona que le había tocado aceptar en el cumplimiento del deber para el que la habían educado toda su vida.

No estaba muy segura de si admiraba su decisión o de si me daba pena. Pero por encima de todo eso sentía pena. Si ella también fracasaba, ¿qué sería de ella?

De pronto se oyó un andar decidido que me llamó la atención. Seis hombres vestidos con uniformes isoltanos sucios entraron en el salón de banquetes.

—¡Abridnos paso! —gritó uno de ellos—. ¡Noticias para su majestad el rey!

La multitud les abrió paso y los hombres atravesaron la sala. Al llegar frente a la mesa presidencial hincaron una rodilla en el suelo, y uno de ellos estuvo a punto de caer al suelo, exhausto.

—Majestad, tenemos que informaros de que otro batallón ha sufrido un ataque en la frontera con Coroa. Nosotros somos los únicos supervivientes.

Me llevé una mano a la boca, perpleja. Eran todos jovencísimos.

—No —susurró Etan—. No.

—Hemos venido a contaros esta atrocidad —dijo el soldado— y a pediros que enviéis más hombres para que vengan a defender nuestro territorio.

—Jameson —murmuró Etan, entre dientes, como si fuera una maldición.

Tragué saliva. No podía explicar la lealtad que aún me unía a Jameson. Quizá fuera porque Coroa, para bien o para mal, siempre sería mi tierra. Me quedé en silencio, sin atreverme siquiera a intentar reconfortarlo. Cualquier atisbo de paz entre nosotros podía esfumarse de golpe.

—¡Yo iré a luchar! —gritó un hombre entre la multitud.

—¡Yo también! —dijo otro.

El rey negó con la cabeza y levantó la mano para silenciar a la multitud.

—¡No derrocharé nuestra valiosa sangre por ese príncipe villano! —declaró, levantando la voz para hacerse oír.

Se sentó en su trono un momento, murmurando algo para sus adentros. Phillipa miró a su prometido, como preguntándole si aquello era normal, y Valentina tomó asiento en un lado de la silla, alejándose todo lo posible del rey.

Una vez calmado, Quinten preguntó, dirigiéndose a los presentes:

—¿Dónde está esa chica?

14

Había muchísima gente en la sala, pero yo sabía que era a mí a quien buscaba. El rey Quinten confirmó mis sospechas al insistir:

—¿Dónde está esa chica que ha traído consigo la viuda Eastoffe?

No le costó localizarme, ya que la mayoría de la gente se giró a mirar nuestra mesa y a la forastera que acompañaba a los Northcott.

—¡Súbete a la silla, niña, para que pueda verte! —ordenó el rey Quinten.

—Esto se pone interesante —murmuró Etan, ofreciéndome una mano para que pudiera subir.

—¿Cómo puedes bromear con esto? —le recriminé.

—Así ha sido siempre mi vida, querida. Bienvenida a la familia.

Le cogí la mano, temblorosa, y me subí a la silla.

—Sí, ahí estás, lady Hollis, la exnovia de Jameson.

Al oír aquello, la sala se llenó de murmullos. Como les había pasado a los Dinnsmor, la mayoría aún no sabía de mi presencia.

—Me han comunicado que, a pesar de tus numerosos pecados, tu querido rey Jameson desea que regreses a su palacio. He oído que, en su desesperación, cuando te fuiste, quemó la mitad del castillo.

Etan me miró, esperando que me explicara, dado que era la segunda vez que oíamos aquel rumor.

Pero no había nada que explicar. No era cierto. Había habido un incendio, pero…

El rey Quinten se pasó los dedos por su fina barba blanca y me miró como un halcón acechando a un ratón.

—Quizá debería enviarte a Coroa envuelta en una mortaja —comentó, como si nada—. Quizá perder a su querida Hollis le enseñe por fin a mostrar algo más de respeto.

Se oyeron murmullos en la sala de gente que mostraba su acuerdo y, de pronto, sentí que la minoría había desaparecido. Ahora que habían muerto isoltanos a manos de soldados coroanos, yo era la imagen del enemigo… No había lugar para la compasión.

—¿Perdón, majestad? —respondí, casi sin voz.

—Si Jameson mata a los míos sin reparos, ¿por qué no iba a hacer yo lo mismo con los suyos? Quizás así por fin me preste atención, ya sabes, si quito de en medio a alguien que sea importante para él, en lugar de matar a sus patéticos e inútiles soldados.

¿Acaso intentaba asustarme? ¿Era una broma? A Jameson también le gustaban las bromas retorcidas, así que no podía excluir que fuera así. Sobre todo tratándose del hombre que había matado a mis padres, que había matado a Silas.

—¿Tienes alguna solución mejor? —me preguntó el rey.

Me quedé allí plantada, intentando respirar. Iba a morir y no había hecho nada para detener a aquel hombre. Le había fallado a Silas, a mi familia y a tantos otros. Y, además, si le enviaba mi cadáver a Jameson, probablemente acabaría provocando una guerra en su propio reino, en lugar de acabar con ella.

—Di algo —me apremió Etan, entre dientes.

—Esto… ¿Majestad? ¿No es cierto que la superficie del reino de Isolte es más del doble que la de Coroa?

—Así es. Con una tierra mucho mejor y un amplio acceso al mar.

En la sala se oyeron gritos y aplausos, señal de que muchos coincidían en pensar que Isolte era superior a cualquier otro país del continente.

—Siendo así, majestad, ¿no valdría la pena plantearse… regalarle esas migajas de terreno fronterizo al rey Jameson?

Nada más plantear mi sugerencia, se alzaron gritos de protesta entre los invitados…, pero no tan sonoros como yo me esperaba, y no tan generalizados. Alcé la voz para hacerme oír… por encima de la minoría.

—Quizás el rey actúe por envidia. Teniendo en cuenta vuestros numerosos recursos, es incluso comprensible —añadí, no muy convencida de que mis intentos por halagarlo fueran a funcionar—. Si…, si le cedierais esos míseros pedazos de terreno, el tamaño total de vuestro reino prácticamente no cambiaría, y el rey Jameson estaría en deuda con vos. Y… ¡Y a vos se os recordaría como un pacificador tanto en los libros de historia de Coroa como en los vuestros! —Tragué saliva—. Y estoy segura de que ese sería un cambio muy bienvenido —añadí, susurrando entre dientes.

Etan tosió para disimular la risa.

Un murmullo generalizado se extendió por la sala.

Me quedé allí de pie, esperando que alguien hiciera algo. Lo que fuera. Que se riera, que desenvainara la espada. Había muchas posibilidades.

—Interesante idea —dijo el rey, reflexionando—. Sería agradable ver a Jameson rebajándose.

Alguien soltó una risotada entre el público.

—Que les den ropa limpia y comida a estos hombres

—dijo el rey, haciendo un gesto a sus mayordomos. Luego se dirigió a los soldados—: Vosotros esta noche seréis mis invitados; resolveremos el asunto por la mañana. De momento, volvamos a la celebración. Mi único hijo se casa, y nadie debe alterar la fiesta.

Me miró, como si me hubiera subido a la silla por voluntad propia.

La música arrancó de nuevo, y a punto estuve de arrancarle una oreja a Etan en mi afán por bajar a toda prisa.

—¿Podría volver a la habitación, por favor?

—Por supuesto —respondió Etan, evidentemente divertido.

—Deprisa —le rogué.

Salimos del salón, convertidos en la diana de todas las miradas, lo que empeoró aún más las cosas. En cuanto giramos una esquina y nos alejamos del bullicio, me incliné sobre un gran jarrón y vomité dentro.

—No podías mantener toda la noche el papel de dama respetable, ¿verdad? —bromeó Etan, divertido.

—¡Cállate!

—Debo decir que estoy impresionado de que hayas conseguido salir de ahí viva, así que quizá te hayas ganado el derecho de devolver la exquisita comida del rey sobre sus posesiones personales.

—Lo digo en serio. Para. —Me apoyé sobre la pared y me dejé caer al suelo, intentando pensar en las explicaciones que le daría a Scarlet para justificar las manchas en las mangas de su vestido—. Esto es incomodísimo —me lamenté, levantando el brazo—. No sé si podré seguir llevando estas mangas tan ridículas.

Etan se acercó, me agarró de la cintura y me ayudó a ponerme en pie.

—Pues tendrás que hacerlo. De momento —dijo, con un

tono casi hasta amable. Al menos para ser él—. Vamos, más vale que te vayas a la cama.

Cuanto más me alejaba del salón de banquetes, menos nerviosa estaba, pero no sabía cómo iba a conseguir mostrarme animada y encantadora dos días más.

—Mañana será diferente —dijo Etan, como si me leyera la mente—. Todo el mundo estará concentrado en el torneo.

—Entonces quizá les dé igual que no vaya.

Soltó una carcajada.

—Yo no diría tanto, pero no debería resultarte difícil evitar cualquier problema durante un día... Porque puedes evitar meterte en líos un día entero, ¿no?

—Lo haré, si lo haces tú —respondí, algo mareada.

—Muy bien, problema resuelto.

No estaba en condiciones de reírle las gracias, ahora que de pronto había recuperado el humor. Lo único que quería era meterme en la cama.

—Has sido muy valiente —reconoció Etan por fin— sugiriéndole que cediera territorio. No será una idea muy popular, pero, si lo hiciera, desde luego salvaría muchas vidas. Deberías estar orgullosa, Hollis.

—Si sobrevivo al viaje, intentaré recordarlo —dije, y tragué saliva—. Lo siento. Seguro que hoy habrás perdido a algún amigo.

—No tengo modo de saberlo hasta dentro de unos días. Pero aunque no los conociera, es algo difícil de asimilar. —Miró a su alrededor, sin dejar de agarrarme mientras avanzábamos por el pasillo—. Sé que crees que odio a todo el mundo, pero no es así. En el corazón llevo a Isolte, y la gente que has visto hoy no representa más que una mínima fracción del país. Hay muchos más ahí fuera, que apenas tienen para vivir, que viven con el miedo a un rey furioso, que aceptan ir a la frontera por el dinero que obtienen para mantener a sus familias, para acabar muriendo. No puedo perdonar a Jameson por matar a los nuestros, como no puedo perdonar a Quinten por matar a los suyos. Es solo que…, no se lo merecen.

Avanzamos un rato en silencio.

—Tiene sentido que me odies.

Él se rio.

—No te odio. Es solo que no te tengo particular aprecio.

—Pero me odiabas. Me lo dijiste.

—Y tú también —me recordó él.

—Sí. Creo que esa Hollis, la de la casa, que estaba cansada y triste y que intentaba hacer lo correcto…, creo que lo dijo de verdad. Pero, a pesar de lo cierto que parecía en ese momento, probablemente ahora no lo diría.

—¿Por lo encantador que soy? —bromeó.

Meneé la cabeza, lamentando casi al momento haber dicho algo así.

—Porque viniste en mi ayuda, aunque sé que no habrías querido hacerlo. Y porque has mantenido tu palabra desde entonces.

Se detuvo un momento en el pasillo que daba a nuestros aposentos.

—Y tú has mantenido la tuya. Además, por algún motivo inexplicable, me haces reír, y poca gente me hace reír.

Miré hacia delante, dando gracias por estar ya cerca de mi dormitorio.

—Solo te ríes porque te burlas de mí.

—Cierto. Muy cierto —dijo, acompañándome al interior—. Aun así, funciona.

Con la caballerosidad que le imponía su noble origen, me abrió la puerta y me concedió un momento para que me asegurara de que podía caminar sola antes de marcharse.

—Ahora descansa —dijo—. Estoy seguro de que mi padre

querrá que nos reunamos después del banquete, pero si no te encuentras bien, ya te lo contaremos después Scarlet o yo.

—Gracias.

—¿Qué significa esa cara? —preguntó, señalándome.

—Scarlet y yo bromeábamos sobre la posibilidad de hacernos cíngaras, y ahora mismo me estaba preguntando si aún estaría a tiempo.

Se rio y caminó hacia la puerta para volver a la fiesta. Yo me fui directa a la cama.

15

—¿Estás despierta? —susurró Scarlet, desde el otro lado de la habitación.

—No mucho —confesé. Abrí los ojos y vi las numerosas estrellas que brillaban al otro lado de la ventana—. ¿Cómo ha ido el resto de la fiesta?

—Precisamente, el tío Reid quiere que nos reunamos para hablar de eso. ¿Prefieres que te deje dormir?

—No, no —respondí, levantando la cabeza. Ya se me había calmado el estómago, y lo cierto era que me habría gustado tener algo para comer—. Quiero saber todo lo que pasa.

Scarlet se acercó, me cogió de la mano y me ayudó a ponerme en pie.

—Pobrecilla. Tiene que haber sido terrible.

—Hay cosas peores —respondí, dándole un suave codazo para quitarle hierro al asunto.

Ella esbozó una sonrisa que acogí como un regalo, teniendo en cuenta la situación, y fuimos con el resto de la familia.

—Hollis Eastoffe, chica lista —dijo el tío Reid al verme—. Has sabido mantener la calma ante la presión. Increíble. Conozco a soldados que se habrían echado a llorar si su majestad los hubiera amenazado así. Bien hecho.

Madre asentía y sonreía con cierta petulancia, como si ya supiera que yo tenía esa habilidad.

—Bueno supongo que la criada que se encuentre con el vómito en el jarrón no opinará lo mismo de mí, pero hago lo que puedo.

Etan soltó una carcajada, pero enseguida se calló.

—En cualquier caso, todos estamos orgullosos de ti. —El tío Reid juntó las manos con una palmada y nos miró a todos, uno por uno—. Parece que las sospechas de Etan se han visto más que confirmadas; anoche mucha gente vino a preguntarme si era cierto que Dashiell y los chicos estaban muertos. Nadie lo ha sabido hasta ahora; sencillamente, no podían creérselo.

—Los partidarios de Silas como futuro rey estaban especialmente afectados —añadió la tía Jovana—. Yo aún no entiendo ese secretismo.

—Quizá sepa que esta vez ha ido demasiado lejos —planteó Scarlet—. Una cosa es amenazar a un ala de la familia real, y otra muy diferente intentar borrarlos del mapa.

El tío Reid meneó la cabeza.

—Es posible, pero aquí hay algo que no cuadra. Y no sé muy bien qué es.

—Lo único que sé es que tenemos más amigos de los que pensábamos —intervino madre—. Y que el apellido Northcott cuenta con más apoyos que nunca.

—Eso es reconfortante —dijo el tío Reid con un suspiro—. De verdad. Pero no significa nada si no encontramos pruebas. Nadie actuará sabiendo que puede acabar en la cárcel, o algo peor, si se equivoca. Tenemos que encontrar pruebas. ¿Alguien ha tenido suerte en ese campo esta noche?

Todos negaron con la cabeza, demasiado desanimados como para manifestar su fracaso en voz alta.

Scarlet suspiró.

—Lo más que he conseguido yo es que lady Halton bebiera algo más de vino del que debería. Y lo único que ha hecho es quejarse de Valentina. No paran de quejarse porque no les da un heredero.

Scarlet puso cara de hastío, sin ser consciente de lo importante que era ese motivo de discordia.

Etan me miró, rogándome con la mirada que compartiera con el resto el secreto de Valentina..., y de pronto supe por qué tenía que hacerlo.

—Esto no puede salir de esta sala —dije, antes de empezar, y todos me miraron con gran interés.

—Valentina ha sufrido tres abortos.

Madre se quedó boquiabierta, y Scarlet puso unos ojos como platos.

—¿Estás segura? —preguntó el tío Reid.

—Sí. Me lo dijo ella misma. Ya sé que vosotros no la consideráis una aliada, pero yo sí. Desde aquel torneo en Coroa nos hemos entendido y es..., es importante para mí. —Tragué saliva, observando cómo me miraban, intrigados—. Pero empiezo a pensar que podría ser importante para todos nosotros.

—¿En qué sentido? —preguntó la tía Jovana.

—En Coroa estuvimos hablando de Jameson y de Quinten, comparando sus personalidades. En algún momento empezó a abrirse. Ella no se muestra distante con el pueblo por voluntad propia. Es Quinten quien se lo impone. La mantiene aislada. Y le... preocupaba su seguridad. Después intentó negarlo, pero sabe que su puesto depende de que pueda darle otro hijo a Quinten, y ya ha perdido tres. Si «ella» corre peligro y «nosotros» corremos peligro, quizás esté dispuesta a ayudarnos.

De pronto, al tío Reid se le iluminaron los ojos:

—¡Hollis, por supuesto! Ella es la persona que mejor lo tiene para colarse en los aposentos del rey. Conocerá los caminos más seguros para entrar y salir de sus oficinas, donde guardará sus documentos. Si garantizamos su seguridad, apuesto a que estará dispuesta a echar un vistazo por nosotros.

Etan meneó la cabeza, pero no en señal de desacuerdo o de derrota; daba la impresión de que habría querido que aquello se nos hubiera ocurrido antes.

—Necesitaría hablar con ella. A solas. —Me puse las manos sobre el vientre; los nervios de la situación me habían abierto el apetito de nuevo.

Una vez más, tuve hambre.

—El torneo es mañana —dijo la tía Jovana—. Ella estará allí, por supuesto. Tiene que haber un modo para hacerle llegar una nota entre tanta gente.

—Entonces ese será nuestro plan —dijo el tío Reid, decidido—. Hollis, escribe una nota para solicitarle un encuentro a la reina. Mañana te acercaremos lo suficiente a ella como para que puedas dársela, y nos encargaremos de distraerla cuando te reúnas con ella. —Suspiró—. El resto del plan tendremos que pensarlo después.

—Muy bien, Hollis —susurró Scarlet, alargando la mano para cogerme la mía.

—Guárdate los elogios para cuando todo esto acabe. Luego sí espero una lluvia de cariño interminable.

Se rio.

—Hecho.

Todos se pusieron en pie para irse a la cama, y madre se acercó a darnos un beso de buenas noches a Scarlet y a mí.

—Mis niñas valientes. Buenas noches, queridas.

Nos giramos, aún cogidas de la mano, y Scarlet apoyó la cabeza sobre mi hombro.

—Dos ideas medio decentes en un día —dijo Etan—. Debes de estar agotada.

—Demasiado como para discutir.

—Gracias a Dios. ¡Ah, por cierto! —Se metió la mano en el bolsillo y sacó un trozo de pan envuelto en una servilleta—. He pensado que esto te ayudaría a calmar el estómago.

Me quedé mirando el pan un momento.

—No te preocupes, no le he puesto veneno. Me he quedado sin nada.

Esbocé una sonrisa burlona y cogí el pan.

—Bueno, si te quedaste sin veneno, de acuerdo. Buenas noches.

—Buenas noches. Buenas noches, Scarlet.

Ella asintió y se sonrió, y volvimos a la habitación. Ya sentada en el escritorio, le di unos mordisquitos al pan mientras le escribía una nota a Valentina. Estaba contenta de poder ayudar a mi familia, pero en el fondo de mi corazón solo tenía ganas de volver a abrazar a mi amiga otra vez. Con un poco de suerte, al día siguiente podría hacerlo.

16

—Todos los demás ya se han ido —me dijo Scarlet, entrando de nuevo en nuestra habitación.

Mi determinación se había desvanecido con la llegada del nuevo día, y estaba hecha un manojo de nervios. Seguía sin acostumbrarme a aquellos vestidos isoltanos, y el ajuste de las mangas nos estaba llevando más tiempo del que esperaba. El resto de la familia había salido ya para hacerse con una buena posición que permitiera comunicarnos con Valentina, pero Scarlet se había quedado conmigo para ayudarme a vestirme como requería la ocasión.

—No te preocupes —me dijo, intentando tranquilizarme—. Tenemos mucho tiempo.

—Lo sé. Pero es que estoy tan nerviosa… ¿Y si no consigo hacerle llegar la nota a Valentina? Y aunque lo consiga…, ¿y si no puede hablar conmigo? Y si habla conmigo…, ¿qué pasará si no quiere ayudarnos?

—Entonces pensaremos en otro plan —dijo Scarlet, muy seria—. Bueno, este es el último nudo, así que quédate quieta.

Tenía el vestido bien fijado al cuerpo, con aquellas mangas que eran como un lastre, y estaba todo lo preparada para enfrentarme a la multitud que podía estar.

—No se te olvide esto —dijo Scarlet, entregándome mi pañuelo.

A veces miraba mis posesiones de Coroa y tenía la sensación de que tenía delante algo que había pertenecido a otra persona, en otro tiempo. Me encantaban mis pañuelos. Había bordado mis iniciales en ellos yo misma, haciéndoles el borde dorado personalmente.

Tragué saliva y me lo metí en la manga, esperando que quedara casi oculto. Sabía que en Isolte era costumbre regalar prendas, pero no me sentía con ánimo. Cuando Jameson aceptaba las mías, tenía la impresión de que estábamos haciéndoles un desaire a las damas más humildes, y cuando Silas recogió mi pañuelo del suelo y lo lució, fue para mí una gran alegría. Y ¿ahora? ¿En aquella corte? Me parecía una pérdida de tiempo, una tontería. Si no hubiera sido por lo importante que era la misión, habría evitado todo aquello. Además, ¿qué caballero en sus cabales iba a aceptar una prenda mía?

Scarlet y yo salimos, pero yo me quedé un paso atrás, consciente de que iba a ser mi guía. En el lado oeste del castillo había un enorme terreno de justas. Era mayor que el de Keresken, y todo estaba decorado con el azul isoltano.

Vi la elegante tribuna que le habían montado al rey, con sus ropajes ondeando al contacto con la brisa. Los invitados especiales ya estaban sentados en sus palcos, y muchos otros se apretujaban en las cercanías. Descubrí a Valentina allí, con su única dama sentada justo detrás de ella. El tío Reid ya estaba en su posición, en diagonal con respecto a la tribuna del rey, en una ubicación perfecta para que pudiéramos pasar la nota a Valentina si se daba la ocasión.

—¿Lady Scarlet?

Ella dio un respingo antes de girarse hacia el lugar de donde venía la voz.

—¡Perdona! —Se disculpó el jinete desde su caballo, levantándose la visera para mostrarle su rostro, cubierto de pecas, con una mueca de disculpa—. No quería asustarte.

—¿Julien?

—Sí. Quería venir a saludarte antes, pero no te he visto sola en ningún momento. Anoche parecías estar siempre enfrascada en una docena de conversaciones diferentes, y no quería molestar.

Sus ojos reflejaban su timidez, y tenía la postura de quien busca desesperadamente el momento correcto, y teme no conseguirlo.

—Es un detalle por tu parte, Julien. Ayer fue un poco agobiante. Espero que hoy pueda relajarme algo más y disfrutar del espectáculo.

—Por supuesto —dijo él, aturullado—. No quiero entretenerte. Solo quería darte el pésame por lo de tu padre y tus hermanos. Y decirte que me alegro de que hayas vuelto a Isolte. Supongo que aún no tendrás ánimo de bailar, pero la corte ha estado muy aburrida sin ti.

Se sonrojó, y las pecas desaparecieron bajo el color rosado de sus mejillas.

—Me lo imagino —comenté, desviando la atención—. Hasta las damas de Coroa tenían envidia a Scarlet por lo buena bailarina que es.

Julien asintió brevemente.

—Y eso no es poco. El año pasado tuve ocasión de visitar Coroa para el encuentro entre los dos reyes. Fue uno de los viajes más interesantes que he hecho.

—Me alegro —respondí, sonriéndole.

No parecía saber muy bien qué más decirme, así que volvió a dirigirse a Scarlet.

—Si tu familia necesita algo, por favor, dímelo. Parece que habéis venido a toda prisa, así que si..., si hay algo que no hayáis traído o...

—Gracias, Julien —dijo ella, evitando que siguiera balbuciendo.

—Y... siento molestarte, pero... ¿podrías hacerme un favor?

—Lo intentaré —respondió Scarlet, aunque no parecía muy convencida.

—Ya les he pedido su prenda a dos chicas, pero me han dicho que no. Creo recordar que no tenías ningún compromiso en la corte...

—¡Oh! No, no me importa en absoluto —dijo ella, sacándose el pañuelo y poniéndoselo en la palma de la mano a Julien—. Toma.

No se me escapó que él le envolvió la mano con la suya, agarrándosela un momento más de lo necesario. Y aunque sabía perfectamente que Scarlet no estaba en absoluto predispuesta al cortejo, tampoco apartó la mano.

—Gracias, Scarlet. Me siento mucho mejor ahora que llevo tu prenda. ¡Deséame suerte!

Se fue al trote, acercándose a un grupo de jóvenes vestidos con armadura, y yo me llevé a Scarlet hacia donde estaban los Northcott.

—¿Un amigo de la familia?

—Sí. Conocemos a los Kahtri desde siempre —me confirmó—. Pero hacía mucho que no veía a Julien.

—Parece agradable.

—Sí —dijo ella, ladeando la cabeza y mirándolo—. Me alegro de haberle dado mi pañuelo. Algunos de los jinetes se avergüenzan cuando ven que todos los demás tienen uno y ellos no.

Empujé el mío hacia el interior de la manga y suspiré.

—Pues tendremos que aplaudirle más que a nadie cuando compita.

Ella asintió, pero no añadió nada. Yo no quería lanzar las campanas al vuelo, y desde luego no iba a mencionarle aquello a madre, pero últimamente Scarlet apenas hablaba, apenas sonreía. Cualquier cosa que le hiciera recuperar la alegría de aquella jovencita que se había presentado en mis aposentos unos meses atrás decidida a bailar me alegraba. Así que ahora Julien Kahtri contaba con todo mi apoyo.

Rodeamos el campo y saludamos de lejos a madre, que pareció contenta de vernos entre la gente.

—¡Mira cuántos jinetes! —le dije a Scarlet, señalando a los participantes concentrados bajo los árboles, charlando y riéndose mientras esperaban que empezara el torneo—. Esto podría durar todo el día.

—No te preocupes —respondió ella—. Pienso fingir que me desmayo dentro de una hora o así para salir de aquí. Tú puedes venir a atenderme.

—¿Ibas a abandonarme? ¡Si tú te desmayas, yo estoy herida! —bromeé.

—¡Ya te he dicho que tú también puedes venir! —protestó, riéndose, con un brillo travieso en los ojos.

Nos sentamos junto a madre, la tía Jovana y el tío Reid. Me giré hacia atrás y establecí un breve contacto visual con Valentina. La tenía tan cerca que habría podido levantar la voz y decirle algo, pero no habría sabido qué decir. Tenía que encontrar un modo de acercarme a ella.

—Perdona…

Al principio no me giré porque no conocía a nadie en aquel lugar, pero luego Scarlet me dio un golpecito en el hombro y señaló a tres chicas que me miraban.

—Oh. Hum…, ¿sí?

—Eres Hollis, ¿verdad? —preguntó la primera de ellas.

—Lady Hollis —la corrigió Scarlet.

—Sí, por supuesto —rectificó ella, con una voz tan dulce que resultaba casi empalagosa.

—Teníamos curiosidad… Hemos oído que antes de casarte con Silas estuviste prometida con el rey Jameson. ¿Es eso cierto?

Las miré a las tres, intentando entender el porqué de su curiosidad. ¿Mayoría o minoría? ¿Amigas o enemigas?

—No exactamente. No llegó a darme el anillo, pero estuvo cerca. —Me encogí de hombros—. No sé muy bien si era su pareja de baile preferida o si era su prometida…

No había dicho mucho, pero incluso eso me parecía demasiado. De pronto me di cuenta de que, a pesar del tiempo pasado, aún no tenía claro qué era yo para Jameson.

Probablemente sería su prometida, en cierto modo, aunque no llegara a serlo de forma oficial. Suerte que no se había hecho oficial. Un escalofrío me recorrió la espalda pensando en la posibilidad de que hubiera llegado a serlo.

—En cualquier caso, me casé con Silas, con lo que adquirí una hermana —añadí, mirando a Scarlet, que parecía complacida, aunque algo confundida—, y muy pronto mi mejor amiga será reina de Coroa, espero. Estoy muy contenta por ella y por el rey Jameson.

Una de ellas meneó la cabeza, incrédula.

—¿Así que renunciaste a ser reina?

—Sí —confirmé.

—¿Aposta?

—Sí. Para casarme con Silas.

La chica de delante se cruzó de brazos.

—El rey Quinten tenía razón. A los coroanos habría que tirarlos a todos al mar.

Aquellas palabras me sentaron como una bofetada y me dejaron sin habla.

—¿Qué? —replicó Scarlet, airada.

—Silas era muy guapo, sí, pero eso es una tontería. ¿Quién dice que no a una corona?

Me la quedé mirando fijamente.

—¿Y tú te pusiste la primera de la fila cuando el rey Quinten buscaba novia? —pregunté, con la máxima calma.

Ella tragó saliva y levantó la cabeza para mirarme con desdén.

—¡Deberías de estar avergonzada, Leona Marshe! —la regañó madre—. Me dan ganas de contarles a tus padres tus desafortunadas palabras.

Leona apartó la mirada y se encogió de hombros.

—Puede usted intentarlo, pero estoy segura de que ellos estarán de acuerdo conmigo —dijo, y las tres se fueron de allí, dejándome perpleja.

No me giré a mirar quién había podido oír aquello. Era cierto que, en el poco tiempo que llevaba en el palacio de Chetwin, la mayoría de la gente que había conocido se había mostrado educada e, incluso, amable. Pero este encuentro había supuesto tal jarro de agua fría que había congelado el recuerdo de todos los demás.

—Podemos irnos si quieres —propuso Scarlet.

—No, no me voy —dije yo, con la mirada al frente, mirando a los primeros jinetes que se preparaban. Me negaba a mostrar a los demás lo afectada que estaba—. Aún tenemos un trabajo pendiente. No voy a irme a ningún sitio hasta que esté hecho.

17

Yo conocía bastante bien las normas de las justas, ya que eran el evento favorito de Jameson. El objetivo era conseguir golpear el escudo del otro jinete al pasar a su lado, y recibías más puntos si conseguías derribar a tu rival. Había otras reglas, sobre la velocidad del caballo o acerca de los impactos al yelmo, que restaban puntos, pero en realidad lo que quería ver la gente era que alguien recibía un buen porrazo.

A mí no me gustaba especialmente el sonido de las lanzas contra las armaduras, y aún me atormentaban las imágenes de los tres hombres que había visto morir practicando aquel deporte, uno de ellos a manos del propio Jameson. Pero independientemente de lo que sucediera en esta ocasión, me negaba a alejarme del campo de justas.

No dejaba de mirar hacia atrás. Necesitaba acceder a Valentina.

—¿Te encuentras bien? —me preguntó el tío Reid al cabo de unas cuantas rondas.

Asentí.

—Bien. Toma —dijo, entregándome su pañuelo—. Parece que la reina tiene calor.

Supuse que en Isolte aquella temperatura podía considerarse calor. Respiré hondo y le cogí el pañuelo, introduciendo mi nota entre los pliegues de la tela. Observé a Valentina atentamente al acercarme, con la esperanza de que entendiera que aquello era algo más que un gesto. Pero primero me acerqué a su marido.

—Majestad —le saludé. El rey Quinten levantó la mirada y se dio cuenta de que era yo quien me dirigía a él. Me costaba hasta mirarle, viendo cómo disfrutaba del deporte después de haber acabado con tanta gente. ¿No le corroía la conciencia? ¿Cómo podía dormir por las noches? Respiré hondo y pensé en las frases que había preparado—. Quería disculparme por lo de anoche. Estaba nerviosa y quizá dije algo fuera de lugar. Lo lamento mucho, y quería daros las gracias por acogerme (a mí y a mi familia) en vuestra corte.

Él me miró con curiosidad.

—No fue una idea tan mala eso del territorio —dijo, aunque estaba claro que de mala gana. Era como si las palabras le supieran a vinagre—. Parece que te gusta hacer comentarios ocurrentes, ¿no?

—He aprendido que en los tiempos en que vivimos no conviene hacerlos, majestad.

—En tu caso, está claro —respondió, con una risita mal reprimida.

Aquella displicencia empezaba a ponerme de los nervios. Supuse que mi dolor no tenía por qué importarle a nadie, pero, sabiendo que él era la causa, al menos podía tener el detalle de mantener cerrada esa bocaza.

—En cualquier caso, hablaré con mis hombres. Debería haber salido en los libros de historia coroana ya hace mucho tiempo. En los de Great Perine y Catal ya se habla de mí. Pero aún hay tiempo para hacer algo más —dijo, y me despidió con un gesto de la mano.

Hice una reverencia, pensando y sintiendo demasiadas cosas a la vez, y luego me giré hacia Valentina.

—Tened, majestad. Para enjugaros la frente. Parece que tenéis calor.

Ella cogió el pañuelo con elegancia y yo me retiré sin decir una palabra más, resistiéndome a la tentación de girarme para ver si había encontrado la nota.

—Bien hecho —dijo madre cuando regresé a nuestros asientos.

—Estoy temblando.

—Irá bien, no te preocupes.

—No es solo eso... Es Quinten. —Tragué saliva e intenté calmarme un poco—. No quiero desperdiciar mi vida odiando a nadie, pero casi da la impresión de que disfruta. Preferiría ser conocido por su maldad que pasar desapercibido.

Ella me rodeó con un brazo.

—Si de mí depende, llegará un día en que no tendrás que recordar ni su nombre. Ninguno de nosotros tendrá que hacerlo.

Le apoyé la mano en el hombro un momento y dejé que me abrazara. Si Quinten era capaz de mostrarse tan insensible a la hora de hablar de sus víctimas, tenía que ser lo suficientemente descuidado como para dejar pruebas en algún sitio. Antes o después las descubriríamos. Las descubriríamos, la gente apoyaría al tío Reid y arreglaríamos la situación en Isolte.

El torneo siguió adelante, pero yo apenas conseguía prestar atención a lo que sucedía allí delante. Cuando la multitud aplaudía, yo me unía a ellos. Cuando exclamaban, yo también. Todo era explosivo y rápido, y la cabeza me daba vueltas solo de estar ahí sentada observando.

Tan distraída estaba que no me di cuenta de que un jinete se había parado justo delante de nosotras, y a punto estuve de soltar un grito cuando me giré y me encontré una lanza delante. Al ver que no se movía, comprendí que estaba solicitando mi prenda.

—Esto no tiene ninguna gracia —le susurré a Scarlet.

—Hollis… Es Etan.

Me giré y miré por las rendijas de la visera. Apenas distinguía sus ojos, del mismo gris azulado de todas aquellas piedras. Sí, era él, sin duda. Y, entonces, me di cuenta del enorme gesto de amabilidad que suponía aquello, de la declaración pública que estaba haciendo ante la multitud. Era bienvenida en su familia; era bienvenida en Isolte. Los Northcott no desconfiaban de los coroanos. Así pues, ¿por qué iban a hacerlo los demás?

Me puse en pie, me saqué el pañuelo de la muñeca y lo até al extremo de su lanza.

—Gracias —dije en voz baja.

Él se limitó a asentir y enseguida volvió al campo.

—¿Tú has visto participar a Etan en alguna justa? —le pregunté a Scarlet mientras me sentaba.

—Muchas veces.

—¿Y se le da bien?

Ella ladeó la cabeza.

—Ha ido mejorando.

—Pues sí que me tranquilizas —respondí, poniendo la mirada en el cielo—. Si sale herido, esto va a quedar muy mal.

Ella ladeó la cabeza, mirando en dirección al campo.

—Pero imagina lo espectacular que quedará si lo hace bien.

Hubo cuatro enfrentamientos antes de que le tocara el turno a Etan. Llevaba mi pañuelo metido en la armadura, y los bordes de encaje y oro apenas sobresalían por el cuello. Esperaba que al menos no le arrancaran el casco ni le rompieran un brazo. Más que ganar, lo importante era salir de allí ileso.

Con las manos en el pecho, vi caer la bandera y observé cómo Etan y su oponente se lanzaban uno contra el otro. Para ser algo tan violento, me pareció que no acababa nunca. Sentía las pisadas del caballo contra el suelo, y cada grito de ánimo se me colaba en los oídos con la misma lentitud con que cae la miel fría. Cuando la lanza de Etan por fin impactó en el escudo del otro jinete, sonó como si un trueno hubiera partido el cielo en dos. Y, de pronto, como si aquello hubiera sucedido sin ningún esfuerzo, vi caer al oponente de Etan al suelo. Él se quitó el yelmo y fue corriendo para asegurarse de que su rival estaba bien. Cuando quedó claro que el caballero que había caído al suelo no estaba herido, las gradas resonaron con vítores, y seguro que oiría el mío por encima de todos los demás. Nuestras miradas se cruzaron y vi que estaba absolutamente perplejo. Yo no podía dejar de aplaudir.

Varias personas a nuestro alrededor le dieron palmadas en la espaldas al tío Reid y le felicitaron por el estado de forma de Etan. Incluso al otro lado del campo, la gente miraba en dirección a los Northcott. Yo no me atreví a girarme para ver cómo se estaba tomando Quinten toda la atención que estábamos recibiendo. Si estaba rabioso, no me importaba lo más mínimo.

A Etan se le presentaba una jornada muy movida. Los jinetes eran eliminados tras múltiples rondas, y cada vez que salía al campo, yo me ponía tan nerviosa que me daban ganas de morderme las uñas. Cada vez que cargaba contra su oponente, con decisión, lanza en ristre, yo aguantaba la respiración. Y ronda tras ronda fue ascendiendo posiciones hasta clasificarse para la final.

—El otro jinete tiene un aspecto temible —le comenté a Scarlet.

—Se mueve muchísimo. Y yo creo que la armadura negra no ayuda.

—Sí, impone aún más. Sir Scanlan siempre ha sido un rival muy duro. Creo que padre ya perdió con él unas cuantas veces hace un montón de tiempo. Pero Etan... Nunca le he visto combatir tan bien.

—Bueno, supongo que por fin ha encontrado un vehículo para dar rienda suelta a toda esa rabia contenida.

Y di gracias a Dios, porque yo ya había aguantado toda la que podía soportar.

—*Hmm* —respondió Scarlet, y su sonrisa torcida me dijo que estaba poniendo en práctica su pasatiempo favorito: observarlo todo y no revelar nada.

Nos agarramos de las manos mientras Etan y sir Scanlan se situaban en sus posiciones; cuando cayó la bandera, contuve la respiración. Salieron corriendo el uno contra el otro, con las lanzas en posición, y se oyeron sendos chasquidos cuando ambas impactaron contra el escudo del rival. Ambos consiguieron apartar la lanza contraria, con lo que los dos lograron un punto.

Cuando empezó el segundo asalto, sentí un nudo en el estómago. Ambos volvieron a desviar el golpe, por lo que, tras tantas horas, el resultado de la competición se iba a decidir en el último asalto del día.

—Parece que se ha hecho tarde. ¿Quieres que nos vayamos? —preguntó Scarlet.

—Muy graciosa.

Ambas miramos fijamente a los dos jinetes, conscientes de que era el momento decisivo. Sinceramente, al principio del día solo esperaba que Etan no se rompiera un brazo, pero ahora que sabía que la gente vería en él a alguien que no temía a Coroa, que había gente dispuesta a colaborar con los Northcott..., y que esas tres chicas de antes estarían retorciéndose de rabia en sus sitios, viéndole competir con mi prenda, deseaba con todas mis fuerzas que ganara.

Cuando arrancó, me puse en pie, incapaz de permanecer sentada, con los puños apretados de impaciencia y la voz ronca tras horas gritando de un modo nada refinado. La lanza de Etan impactó contra el escudo de sir Scanlan…, mientras que la de sir Scanlan apenas rozó el lateral de la armadura de Etan, que resistió el embate sin un rasguño siquiera. El público estalló en vítores y yo abracé a Scarlet, llorando de alegría.

Me había quedado sin voz de tanto gritar, y me dolía todo el cuerpo por la tensión. Pero había valido la pena. ¡Etan había ganado!

18

A media tarde, madre, Scarlet, el tío Reid, la tía Jovana y yo nos instalamos a la sombra de un árbol, a las afueras del campo donde se celebraba el torneo. Teníamos cerveza y bayas, y un vendedor ambulante iba repartiendo muslitos de un ave de la que no había oído hablar nunca y que, por supuesto, jamás había comido.

Desde luego, el ambiente era muy diferente al de Coroa. La brisa no era tan suave, y de vez en cuando me levantaba el cabello.

Aún tenía aquella sensación de desconcierto, y cosas sencillas como la silueta de los árboles me recordaban que aquel no era un torneo como cualquier otro. Pero la buena compañía compensaba todo lo que no acababa de cuadrar en mi interior, y sin querer me encontré con que no podía dejar de sonreír.

—Es la primera vez que me ha importado el resultado de una justa —confesó Scarlet, ladeando la cabeza y orientándola hacia el sol. Cuando dejaba de soplar la brisa, era de lo más agradable—. Etan hoy ha estado increíble.

—Me habías hecho pensar que no se le daba nada bien —dije, entre bocado y bocado.

Scarlet me dio una palmada en el brazo y la tía Jovana se fingió ofendida.

—La verdad es que no sabía que hubiera mejorado tanto —se justificó Scarlet.

—Aún no me creo que haya ganado. Soy perfectamente consciente de que es todo mérito suyo, pero el público le vio coger mi pañuelo y, por inmodesto que pueda sonar, siento como si también fuese un triunfo mío.

—Es la primera vez que gana, que yo sepa —reconoció el tío Reid—. Supongo que si los Eastoffe y los Northcott van a volver a ocupar un papel destacado, esto nos va muy bien. Probablemente, al rey Quinten no le haya hecho ninguna gracia, pero es un gesto que nos beneficia de cara al resto.

—¿Tienes información nueva? —preguntó Scarlet.

Él soltó un largo suspiro.

—No hemos sido olvidados. A la luz de los recientes acontecimientos, algunos han dicho incluso que actuarían aun sin contar con pruebas, que lo sucedido les basta para apoyar la detención del rey, como mínimo. Si ahora se dedica a matar a parientes, ¿cómo se pueden sentir protegidos los demás? Temen que, en este momento, no les salve ni su lealtad ni su buen comportamiento. A vosotros no os ha salvado, y a nosotros tampoco nos ha ayudado nada.

—Pero aunque pudiéramos apartar a Quinten del trono sin pruebas, crearíamos un antecedente muy cuestionable. Si no seguimos las leyes que indican cómo derrocar legalmente a un rey, quienquiera que acceda al trono podría ser apartado de él fácilmente en cualquier momento. Pongamos que es Scarlet.

—No, de eso nada —replicó ella.

—Si esta vez no acatamos la ley, la próxima tampoco la acatarán. Así que tenemos que demostrar por todos los medios que estamos a la altura para gobernar de forma legítima.

Las palabras del tío Reid me recordaron un dicho que teníamos en Coroa, algo sobre las leyes que, como ciudadanos, debíamos conocer: «Si infringimos una, las infringimos todas».

Supuse que aquello tenía sentido, que tan malo era robar o mentir como matar. Hiciéramos lo que hiciésemos para destronar a Quinten, suponía una rebelión. El tío Reid estaba demostrando que podíamos luchar contra el mal sin hacer otro mal. Y eso me parecía admirable.

—¡Ah, ahí está! —dijo madre, señalando al caballero en armadura que se acercaba.

Todos aplaudimos a Etan, y él saludó con falsa arrogancia, inclinando la cabeza de forma exagerada, aceptando nuestros elogios con fingida petulancia.

—¡Enhorabuena, hijo! —dijo el tío Reid, en el momento en que Etan plantaba una rodilla en el suelo, situándose a nuestro lado.

—Gracias, señor. Un buen día para los Northcott —dijo, mostrando el premio que llevaba entre las manos.

Era una pluma dorada, hecha de modo que quedaran espacios entre las barbas, por los que pasaba la luz del sol. Era un bonito trofeo, y un buen trabajo y, sin duda, la mejor obra de artesanía que había visto en Isolte.

—Aunque no hubieras ganado el torneo, solo la primera ronda ya era para estar orgulloso —comenté.

Etan soltó un silbido agudo.

—Sí, he tenido unos cuantos enfrentamientos buenos en el pasado, pero nunca había derribado a nadie. Es cierto —dijo, levantando los brazos, sin señalar a ningún sitio—. Cuento con un talento excepcional. Pero creo que hoy te debo parte de mi buena suerte a ti, Hollis.

—Gracias a ti —respondí, ladeando la cabeza—. Hasta la fecha, mis prendas registran una racha de victorias perfecta.

—¿De verdad? Entonces creo que deberías quedarte esto —dijo Etan, tendiéndome el premio.

—Es muy bonito, pero no puedo aceptarlo. Es tu primera victoria. Tendrías que quedártelo tú.

—No lo habría ganado sin ti. Así que... —insistió, mirándome a los ojos.

Con lo bien que habían ido las cosas, lo último que quería era discutir con Etan por una pluma.

—Eres un tozudo cabezota, pero acepto —dije con un suspiro—. Gracias.

—Brindemos —dijo el tío Reid—. Por nuestro campeón, y por nuestra portadora de buena suerte. ¡Por Etan y Hollis!

—Por Etan y Hollis —repitieron todos.

Levanté mi copa rápidamente, intentando esconder la expresión de mi rostro, cualquiera que fuera.

—Esperemos que tengamos buena suerte también con nuestros planes —dije, cambiando de tema—. Le entregué mi carta a la reina.

Etan tragó su bebida a toda prisa y me miró con los ojos bien abiertos.

—¿La ha recibido?

Asentí.

—Al final eché un vistazo a su tribuna, y al menos la nota se fue con ella. En Coroa hablamos de lo importante que era ser discretas, así que espero que entendiera la importancia que tenía ese pañuelo.

—¿Cuándo le has pedido que os veáis? —preguntó la tía Jovana.

—Esta noche. En el Gran Salón, durante el banquete de celebración.

Todos me miraron como si estuviera loca.

—A veces, el mejor modo de mantener algo en secreto es no esconderlo demasiado.

Etan meneó la cabeza; por su gesto, quedó claro que una vez más estaba impresionado, muy a su pesar.

—¿Nosotros qué podemos hacer? —preguntó el tío Reid.

—Espero no necesitar demasiada ayuda. Todos estarán de buen humor tras la justa y animados con el anuncio de la boda, por lo que espero que la noche sea bastante movidita y que nadie se dé cuenta de que Valentina se escabulle para hablar conmigo.

—Excelente —comentó el tío Reid—. Los demás debemos estar preparados para conseguir más información. No puede recaer todo el peso sobre Hollis.

Scarlet asintió con vehemencia, igual que Etan. A mí no parecía que estuviera cargando con ningún peso. Estaba contenta de ser de utilidad. Acabamos la comida y regresamos al palacio dando un paseo. Etan caminaba muy erguido, con el cabello aún pegado a la frente tras el esfuerzo realizado. Tenía la cara sucia, pero atravesada por una sonrisa de satisfacción, y sostenía su yelmo bajo el brazo.

—Por favor, dime que vas a darte un baño antes de ir a la cena —bromeé.

—Dime que tú también vas a hacerlo.

Contuve una risa.

—Oye, he pensado en lo de esta noche, pero no he querido decir nada delante de padre. Sé que no lo aprobaría.

—¿El qué? —pregunté, torciendo la boca, intentando imaginarme qué podría ser lo que quería hacer Etan sin la aprobación de su padre.

—Si ves que no consigues llegar hasta Valentina en el banquete, si Quinten o algún otro parece observar demasiado de cerca, yo puedo distraerlos.

—Gracias —respondí, aliviada—. Ha sido mi mayor… Un momento… ¿Cómo que distraerlos? ¿De qué manera?

Él se encogió de hombros, como quitándole importancia.

—En el torneo había unos cuantos rivales que no se han tomado nada bien que los haya ganado. Solo necesitaría dos o tres comentarios bien dirigidos para conseguir que alguien me diera un puñetazo.

—¡Etan!

—Ya te lo he dicho, solo si te quedas sin recursos. No quiero montar una escena, pero es mucho más importante conseguir poner a Valentina de nuestra parte que proteger mi reputación, aunque sé que a padre eso le preocupa mucho. Si no estoy a tu lado, estaré observando. Tú solo tienes que hacerme un gesto con la cabeza, o algo así. ¿De acuerdo?

Asentí.

Conocía a Etan. Era un tipo orgulloso. No le gustaba que la gente se metiera con su trabajo, con sus logros o con los sacrificios que realizaba. En cierto modo, su reputación era lo que daba valor a su vida. Comprobar que estaba dispuesto a sacrificarla para ayudarme… hizo que de pronto viera a la persona de la que me había hablado Silas.

En cierto modo, sentía la obligación de hacerle cambiar de opinión, pero, por otra parte, estaba orgullosa de empezar a conocerle.

19

Me cepillé el cabello, recogiendo el flequillo en pequeñas trenzas tal como solía hacer Delia Grace. Y en cuanto se me pasó su nombre por la cabeza, me pregunté qué estaría haciendo. ¿Se habría instalado en los aposentos de la reina? ¿Tendría un enjambre de doncellas a su servicio? ¿Estaría contenta del lugar que ocupaba al lado de Jameson?

Yo esperaba que sí. Se había enfrentado a muchas dificultades: era hora de que se le arreglaran las cosas. Me pregunté si debería escribirle, o quizá responder a Nora. Me sentiría mucho mejor sabiendo que la relación de Delia Grace con Jameson iba bien.

—¿En qué estás pensando? —me preguntó Scarlet—. A veces pones esa cara, como si de pronto te hubieras transportado a Coroa de golpe.

Por si mi mirada perdida no me había delatado lo suficiente, mi sonrisa culpable hizo el resto. Scarlet era muy observadora.

—Estaba pensando en esas chicas de hoy, que me han preguntado si había sido la prometida del rey. Recordaba que los sacerdotes habían tenido que obligar a Jameson a mantener mi nombre al margen del tratado de paz con Quinten. Si no lo hubieran hecho…, quizá no habría podido marcharme.

—¿Qué? ¿Por qué no?

—Yo creo que habría sido como estar casados legalmente, o al menos prometidos. Todas esas cosas son inamovibles en Coroa. —Me giré hacia ella—. Conocí a una chica cuyos padres firmaron un contrato con otra familia cuando ella y el que debía ser su esposo tenían dos años. Esos contratos tienen fecha de vencimiento. Así que, cuando llega esa fecha, quedas legalmente casada.

—¡Oh, Dios mío! —exclamó Scarlet.

—Ya. En este caso, la fecha de vencimiento era poco después de que ella cumpliera dieciocho años, pero para cuando llegó el momento, ninguno de los dos tenía ningún interés en cumplirlo. Si está pactado así, por escrito, el único que puede anular el contrato es el rey. Estás casada, básicamente, así que es como solicitar un divorcio. No es moco de pavo.

—¿De verdad?

—Me temo que sí. En Coroa firmar un contrato de compromiso de matrimonio es como casarse.

—¿Aunque fueran niños? ¿Aunque sus padres lo hubieran hecho sin su conocimiento?

Yo no me había planteado nunca algo así. Estaba tan obsesionada con que alguien, cualquiera, se mostrara dispuesto algún día a comprometerse a pasar la vida conmigo que nunca me había planteado lo que podía ser no desear ese compromiso.

—Sí —le confirmé—. Yo estaba en la sala el día de la vista. Los padres de ambos seguían deseando la unión, así que, aunque los afectados estuvieran destrozados, llorando de desesperación, el rey Marcellus se negó a anular el matrimonio. Después de haber pasado un tiempo junto a Jameson, debo creer que el rey ganaría algo con ello, pero no sé lo que podría ser. No hacen nada sin motivo.

Scarlet se cruzó de brazos, entre furiosa y triste.

—¿Y qué fue de la pareja?

Esbocé una mueca burlona.

—Se vengaron, a su modo. Celebraron la boda, por supuesto, no podían evitarlo. Pero ella era la última de la dinastía, así que va a heredar todos los terrenos de la familia. Él está en una posición similar. Evidentemente, los padres de ambos querían tener nietos para transmitir su legado. Pero ellos se niegan a tener hijos.

—¡Oh…, oh!

—Sí —dije yo, asintiendo—. Y ya han pasado varios años.

—Vaya muestra de determinación.

—Desde luego —respondí, volviéndome hacia el espejo—. En cualquier caso, estaba pensando en todo eso, y en Delia Grace. Ella ha tenido sus momentos, pero ha pasado por muchas situaciones difíciles. Estoy contenta de que pueda ser reina, después de todo. Pero si en ese papel hubiera figurado mi nombre, habría sido mucho más complicado; no habría bastado con abandonar el castillo.

—¿Tú crees que Jameson se casará con ella realmente?

Asentí.

—Si alguien puede conseguir llegar al trono, es ella.

—Si sucede, me gustaría ir a la fiesta —dijo Scarlet—. Eso es muy bonito —añadió, señalando mi peinado—. Me recuerda al que llevabas cuando nos conocimos.

—Creo que voy a dejármelo suelto. Y me parece que me voy a poner uno de mis vestidos. Esta noche quiero sentirme yo misma.

—Ya sé lo que quieres decir —dijo ella, sonriendo, y echó mano de su arcón—. Toma. Recordémosles a todos que has estado destinada al trono.

Sacó un tocado que ya le había visto puesto, una especie de abanico hecho de oro y zafiros, y me lo colocó en la cabeza. Ambas nos quedamos mirando al espejo.

—Quedará muy bonito con mi vestido dorado —comenté—. Pero mentiría si dijera que no echo de menos los días en que llevaba ese vestido con un tocado de rubíes.

Desde atrás, Scarlet me rodeó la cintura con los brazos.

—Nadie quería que tuvieras que escoger, Hollis.

—Etan sí.

—Bueno, Etan ha recibido muchos golpes en la cabeza en los torneos a lo largo de los años, así que no le hagas ni caso. Puedes ser ambas cosas, Hollis, ambas personas.

Respiré hondo.

—Eso estaría muy bien.

—Tienes mucho tiempo para trabajar en ello. Pero ahora hemos de asistir a un banquete.

Me puse el vestido en un momento, y Scarlet me lo abrochó. Era como aprender a respirar otra vez, viendo a la chica que había dejado plantado a Jameson.

Salí al salón principal caminando con seguridad, con Scarlet cogida del brazo. Allí nos esperaba el resto de la familia.

—Estáis las dos preciosas —dijo la tía Jovana, llevándose la mano al corazón—. ¡Qué bien me sienta tener jovencitas cerca otra vez!

Etan también observaba la escena. La barba incipiente de la tarde había desaparecido, y llevaba el pelo algo más peinado de lo habitual, después de lavarse a fondo tras la justa. Seguía luciendo ese aspecto confiado del vencedor y, sorprendentemente, sonrió cuando me acerqué.

Charlamos entre nosotros mientras nos arreglábamos los cuellos y los puños unos a otros. Todos teníamos que estar impecables. Yo los miré y meneé la cabeza, feliz de contar con ellos, pese al estado de nervios reinante. Y luego me giré hacia Etan.

Cuando sonreía, no resultaba tan desagradable a la vista.

Seguramente habría quien lo encontrara hasta guapo. Y me sentía más tranquila sabiendo que iba a entrar en aquella sala en compañía de alguien en quien podía confiar.

—Realmente estás muy guapa —comentó en voz baja.

—Tú no estás mal —respondí.

Él se sonrió, y yo deslicé los dedos sobre su mano tendida.

20

Cuando entré en el Gran Salón, todas las miradas se posaron en mí.

O, más bien, en mi acompañante.

—Buenas noches, Etan.

—Me alegro de verte otra vez, Etan.

—Vaya, Etan, qué buen aspecto tienes hoy.

A cada paso recibía una lluvia de cumplidos. Él respondió mientras pudo, pero al final acabó bajando la mirada al suelo y riéndose.

—Con que no te casarás nunca… ¡Y un cuerno! —le espeté.

—No debería romper tantos corazones —bromeó.

—Lo que no deberías es tener descendencia —repliqué.

Él se rio tan fuerte que tuve la impresión de que la mitad de los presentes se giraban para ver qué era tan divertido, para encontrarse con que el héroe del día le hacía gestos de desaprobación a una joven de Coroa.

Tal como habíamos previsto, el ambiente en la sala era distendido. También mucho más bullicioso que la noche anterior, y empezaba a hacer un calor incómodo. Pero los músicos tocaban y la comida no dejaba de llegar, así que intenté disfrutar de la velada en lo posible.

Solo había un pequeño problema.

Ya suponía que Valentina y yo tendríamos que esperar un buen rato para encontrar la ocasión de hablar, o que tendríamos que esquivar muchas miradas. Lo que no había contemplado era la posibilidad de que Valentina no estuviera allí.

Examiné la mesa presidencial varias veces, pensando que quizás estaría sentada en otro sitio y que tal vez se me hubiera pasado por alto. Luego escruté toda la sala, con la esperanza de que estuviera saludando a los invitados. Ni una cosa ni la otra.

—¿Dónde está? —me susurró Etan—. ¿Tú crees que Quinten le habrá encontrado la nota?

Dirigí la vista hacia el rey, pero no nos estaba observando. Estaba junto a su hijo, hablando a su futura nuera.

—No lo creo. Y si la hubiera encontrado, era ambigua y no iba firmada, así que no debería suponer un grave problema para nosotros. Pero no sé dónde puede estar Valentina...

—Pido disculpas —dijo en voz baja—. Por haberla juzgado mal. No tenía ni idea de que se encontrara en esta situación tan difícil.

—¿Y cómo ibas a saberlo? Él la tiene recluida, y lo único que puede hacer ella es poner buena cara. Yo pienso que cree que, si alguien descubre lo infelices que son, su vida correrá peligro.

Etan suspiró.

—Entonces, ¿ella no siente nada por él? ¿En absoluto?

Negué con la cabeza.

—Creo que debió de deslumbrarse con la corona, como tantas otras. No la culpo.

No dejaba de escrutar la sala, pero sentía la mirada de Etan examinándome, quizá preguntándose si a mí también me habría pasado aquello. Yo siempre había pensado que tenía muy claras las cosas, pero ahora ya no estaba tan segura.

Porque, por mucho que lo echara de menos, tenía la impresión de que lo mejor sería dejar de pensar en Keresken.

—¡Etan, ahí estás!

Una chica con la nariz puntiaguda y pómulos angulosos se nos acercó, con otra chica tras ella.

—¿Conoces a mi prima Valayah? Es su primera visita a la corte, y ha quedado muy impresionada con tu actuación de hoy en el torneo.

—¿Y quién no? —bromeó Etan, acercándosele y poniéndose a caminar con ellas.

Levanté la mirada hacia el cielo, pero no me miraba nadie. Volví a recorrer la sala con la vista; seguía sin ver a Valentina.

—Esperamos que pases más tiempo en la corte —prosiguió Valayah, entusiasmada—. Raisa y yo contamos con ello.

Como si esperara su ocasión, otra chica apareció tras Raisa, parpadeando con coquetería:

—¿Vamos a conseguir que nuestro querido Etan se quede en el castillo esta vez? Tengo que decir que esto no es lo mismo desde que te fuiste.

¿Dónde estaban esas jóvenes el día anterior? ¿Dónde estaban antes de que empezaran los murmullos y los ataques a la familia? En fin, tampoco era algo que me preocupara.

Aunque no tuviera ningún interés, si Etan quería a su familia, acabaría casándose antes o después, para mantener el apellido. Aunque nunca consiguiéramos presentar pruebas contra Quinten, el simple hecho de conservar una línea familiar ya sería una pequeña victoria. Y si se casaba, tendría que hacerlo con una chica de Isolte, alguien que tuviera una línea dinástica tan antigua como la suya, de carácter decidido. Y guapa. E inteligente. Y que supiera mantenerlo a raya, porque mal le iría si no lo conseguía.

Aparecieron dos damas más, y ninguna de ellas era Valentina. De pronto hacía un calor terrible en el Gran Salón. Sin decir nada a nadie, me puse en pie y me dirigí al vestíbulo.

El vestíbulo principal del castillo tenía cuatro accesos. Uno daba al Gran Salón. El segundo, a una gran escalera que llevaba a los aposentos del rey y de los miembros permanentes de la corte. El tercero daba a las habitaciones de los invitados, como nosotros. Y el cuarto, al exterior.

Al salir, me encontré en el mismo sendero de grava con sus grandes postes circulares que había visto al llegar. Respiré el aire fresco de la noche. El rey Quinten debía de sentirse muy seguro aquella noche, porque los únicos guardias que vi eran los de la puerta principal. No había ninguno rondando por el recinto ni controlando la entrada al edificio. El ambiente era bastante tranquilo, en comparación con el caos reinante en el interior.

Me quedé allí de pie, con los brazos cruzados frente al pecho, pensando en cosas para las que no estaba preparada, haciéndome preguntas para las que no tenía respuesta, hasta que una voz familiar me hizo volver en mí.

—¿Hollis?

Me giré y vi a Etan saliendo del edificio, con gesto preocupado, pero enseguida se le pasó.

—Bueno, bueno. Aquí tenemos al Señor de las Justas, Supremo Vencedor de los Viejos Caballeros, Maestro de las Lanzas. ¿A qué debo el honor?

Etan puso los ojos en blanco y dejó caer los brazos.

—Ja, ja. He visto que te habías ido y he supuesto que necesitarías a alguien que te llevara a algún lugar apropiado para vomitar. Solo he venido a ayudar.

—Afortunadamente para ti, me encuentro bien —respondí, sonriendo—. Solo tenía calor. Puedes volver con tu cohorte de adoradoras, no te preocupes.

Él puso cara de agotamiento y se acercó.

—No había oído tantas risitas insulsas en toda mi vida. Aún me resuenan en los oídos.

—Ya, venga... No he conocido a ningún hombre que no disfrute siendo el centro de atención. Hasta Silas, con lo modesto que era, se iluminaba cuando se veía rodeado de atenciones.

Etan no protestó; se limitó a ladear la cabeza.

—Silas y yo somos hombres diferentes.

—Ya me he dado cuenta.

Me miró fijamente, como si intentara preguntarme algo sin decir palabra. No podía soportar la intensidad de su mirada, por lo que aparté la vista, sonriendo.

—La próxima vez tendrías que hacer algo ridículo, como tirar la lanza o hacer que tu caballo se mueva en círculos. Cuando vean eso, te dejarán en paz.

Él se quedó un momento en silencio; luego se cogió las manos tras la espalda y sonrió:

—Me temo que eso es imposible. Como ves, tengo demasiado talento. No sabría hacer el tonto ni aunque lo intentara.

Puse los ojos en blanco.

—Y hablando de hacer el tonto, no te he dado las gracias. No quería reconocerlo, pero me sentía algo incómoda antes de que me pidieras mi prenda. Sé que no lo hiciste precisamente para reconfortarme, pero con eso hiciste que me sintiera parte de todo aquello, y te lo agradezco.

Él se encogió de hombros.

—Es lo mínimo que podía hacer por la chica que vomitó en los jarrones del rey. Algo de lo que se habla, aunque no me imagino quién puede haber iniciado un rumor así.

Me reí y le tiré de la manga como para regañarle.

—Por cierto, no hace falta que te quedes ese pañuelo. Puedes devolvérmelo.

—Oh —respondió, bajando la mirada y luego mirándome otra vez—. Me temo que lo perdí durante el torneo. Lo siento.

—No pasa nada. Aún tengo dos o tres de Coroa, de esos bordados con oro.

Me giré hacia el vestíbulo, donde resonaban las risas, y vi a tres parejas saliendo del Gran Salón para seguir con la fiesta lejos de la multitud.

—¿Vas a volver ahí dentro? —le pregunté—. Apuesto a que la mitad de las mujeres solteras te están esperando.

Él sacudió la cabeza y se quedó mirando a lo lejos.

—Ya te he dicho lo que pienso de eso.

—No es algo tan malo. Solo estuve casada una hora, pero fue maravilloso —dije con una sonrisa nostálgica.

—¿Cómo puedes hacer eso? —me preguntó—. ¿Cómo puedes recordar algo tan doloroso con una sonrisa?

—Porque… —Me encogí de hombros—. Pese a todo lo malo, Silas me rescató. Y eso no puedo lamentarlo.

—¿Te rescató de qué? Has acabado en un país extranjero, con una familia fragmentada… —bajó la voz— … que puede acabar aniquilada en una batalla imposible de ganar.

—No es la vida que me dio…, es la vida de la que me arrancó.

Etan se quedó mirándome, intentando interpretar las diferentes emociones que reflejaba mi rostro, al recordar todos los peligros que habíamos corrido.

—Etan, estuve muy cerca de ser reina. Jameson aprovechaba cada ocasión para enseñarme protocolo, y la gente venía a mí para solicitar favores del rey; iba a ser la madre del heredero al trono de Coroa. Iba a convertirme en otra Valentina —dije, señalando al castillo, con ganas de llorar al pensar que habría podido acabar así—. No sé cuánto tiempo habría tenido que pasar, pero habría acabado convirtiéndome en una sombra de mí misma. —Me sorbí la nariz—. Ni siquiera me di cuenta de que no estaba enamorada de Jameson hasta que apareció Silas, y me aceptó tal como era, sin más.

—¿Una jovencita sin tacto ni gusto para la ropa que se pasa el día llorando?

Me reí, pese a las lágrimas.

—¡Sí! —dije, limpiándome los ojos y la nariz—. Con él nunca tuve que fingir algo que no fuera. Con Jameson tenía la sensación de que cada segundo de mi vida tenía que ser perfecto e inmóvil, como un cuadro. Con Silas, la vida era complicada…, pero era una buena vida. Le echo mucho de menos.

—Yo también. Y a Sullivan y a Saul. A mis hermanas. A los amigos que he perdido en el frente. Los echo de menos a todos, cada día. Puedes echar de menos a la gente y seguir viviendo. A veces, no tienes otro remedio.

Asentí, levantando la mano un momento para tocar los anillos que llevaba colgados del cuello.

—Le dije que lo haría. Aunque a veces me resulta extraño hacer algo sin él. Espero que siga sintiéndose orgulloso de mí. Y espero que ganemos, porque, si no, no sé qué ocurrirá.

—¿Quieres decir además de la posibilidad evidente de que muramos?

Me reí.

—¡Sí! Porque si vuelvo a Coroa, me espera un destino peor que la muerte.

—¿Qué quieres decir?

Suspiré. Supuse que, a esas alturas, más valía que lo supiera todo.

—Tendría que volver al castillo. Jameson me convocó, y yo no me presenté, hui y vine hasta aquí. Es difícil explicarlo, porque le tengo mucho cariño a Coroa, y a Keresken, pero si vuelvo… Me temo que dejará definitivamente a Delia Grace. Con todos esos rumores que se oyen en la frontera, es una posibilidad que no podemos pasar por alto. Si le está haciendo eso a ella, que espero que no sea así, me aterra pensar que pueda dejarla para ir a por mí. Y no quiero ser una súbdita desleal, pero tampoco quiero ser su prometida. Otra vez no. Temo que estar en ese castillo signifique ser de su propiedad, y no puedo…, no puedo…

Las lágrimas afloraron de nuevo. Tenía la sensación de que aquello era una carrera. Si se daba prisa y se casaba con Delia Grace, quizá me salvara. Pero no quería que se fijara en mí, no quería su corona ni ninguna otra cosa de él.

—Hollis, todo se arreglará.

—No, no se arreglará. Sé que no me creías, pero yo no quiero a Jameson. ¡En absoluto!

Él frunció el ceño.

—¿Por qué puedes hablar tan mal de él o de Coroa, pero cuando lo hago yo te enfadas tanto?

Levanté los brazos y luego los dejé caer otra vez.

—¡Porque Coroa es mía! Es mía, así que yo puedo hablar de lo horribles que son las leyes o el rey. Pero cuando lo haces tú, me duele porque fue mi hogar, y es parte de mí, y es como si dijeras que yo también soy terrible. Como si yo no supiera ya lo mal que lo hago todo…

—No lo haces… —Resopló, al tiempo que me enjugaba las lágrimas—. No lo haces todo mal.

—Acabas de reírte de cómo visto —le recordé.

—Sí…, lo siento.

—Como si tú tuvieras tanto gusto vistiendo…

—¡Oye!

—¿Y por qué te gusta tanto esto? ¡Es verano, y aún hace frío!

—Hollis.

—Tienes que dejar de machacarme. No puedo…

Pero no pude acabar la frase, porque me encontré los labios de Etan sobre los míos.

Sentí un hormigueo cálido que se extendía por todo mi cuerpo, provocado por aquel beso inesperado.

De pronto, los dulces besos de Etan Northcott hicieron que toda la tensión desapareciera. Nunca había estado tan cerca como para sentir su olor, pero tenía un aroma propio…, algo que me recordaba la naturaleza, el aire libre. Me agarró de los brazos, para que no me moviera, pero era un agarre delicado. Y me pareció algo milagroso, porque había visto de lo que eran capaces aquellas manos. En realidad, todo aquello era milagroso.

Cuando por fin se separó, siguió agarrándome firmemente. Tenía una sonrisa traviesa en los labios, pero de pronto desapareció y en sus ojos vi una mirada de desconcierto, como si no pudiera creerse lo que acababa de hacer.

—Lo siento —dijo en voz baja—. No sabía qué otra cosa hacer para que dejaras de discutir.

Me soltó, aún con este gesto confundido en el rostro.

En aquel momento solo podía pensar que había conseguido lo que quería: me había dejado sin habla.

Pero no se movió, como si esperara que fuera yo la que dijera algo, lo que fuese. Así que hice un esfuerzo consciente por dejar de pensar en qué me recordaba exactamente su olor y por volver a mi misión.

—Yo… tengo que volver dentro, para averiguar si ya ha llegado Valentina.

Reaccionó abriendo bien los ojos, como si se le hubiera olvidado cuál era el objetivo primordial de la noche.

—Sí. Sí, claro. —Se alisó la camisa e irguió el cuerpo—. Ve tú delante; yo iré dentro de un momento.

Y, viéndolo tan desorientado, no quise decirle lo que me había provocado aquel beso. No le dije que aún lo sentía sobre los labios, o que me había dejado deliciosamente descolocada. No le dije que no me importaba en absoluto sentir ese vértigo que me provocaba ser de pronto el centro de atención de Etan Northcott.

En lugar de eso, me tragué mis palabras y cerré la boca. No podía pensar en lo que sentía, en lo que había dicho, o incluso en lo que podía significar todo aquello, si es que significaba algo. Porque cuando entré de nuevo en el Gran Salón, fue para ponerme manos a la obra.

—Por favor, por favor, que esté ahí —murmuré—. No puedo volver a salir ahí fuera otra vez, así que, por favor, que esté ahí.

Recorrí el salón con la mirada, fijándome en todos los presentes y, afortunadamente, vi por fin a Valentina junto a la mesa presidencial.

21

La noche transcurrió despacio, y Valentina y yo cruzamos miradas en varias ocasiones. A veces, ella negaba con la cabeza, tan imperceptiblemente que nadie a su alrededor podía darse cuenta. Busqué a mi familia con la mirada, esperando el momento, también nerviosa. Y aunque ellos iban cambiando de posición, había dos cosas que permanecían igual.

En primer lugar, que Julien seguía a Scarlet como si fuera su sombra, mientras ella hablaba con unos y con otros, como si estuviera intentando reunir el valor para volver a saludarla, pero sin atreverse. Y en segundo, que Etan seguía rodeado de una nube de damas, con aspecto de estar divirtiéndose más que nunca, dejándose alabar, pero sin ofrecer nada a cambio.

Supuse que sí, efectivamente, me habría besado solo para que dejara de hablar.

Me pasé la mano por el vientre, y me sorprendió observar que sentía un vacío en el estómago, algo parecido al desaliento.

Por fin, cuando un grupo de bailarinas salió al estrado, Valentina se puso en pie y se acercó a la ventana. Se quedó a un lado, observando el espectáculo. Un mes atrás no habría podido contener la tentación de criticar la coreografía, pero me limité a mirar al exterior, como si contemplara la luna.

—Te he echado mucho de menos —me dijo, sosteniendo la copa frente a los labios, un truco que ya le había visto usar antes.

—Yo también. Me he preocupado al ver que no estabas por aquí. ¿Nos ha descubierto alguien?

—No —respondió—, pero he tenido que echarle algo en la bebida a mi dama de compañía. Siempre la tengo pegada, y si hubiera venido, no habría podido acercarme a ti. Ha tardado en dormirse más de lo que esperaba.

Solté una risita al pensar en toda aquella situación y observé, complacida, que ella también esbozaba una sonrisa.

—Siento mucho lo de tu bebé —dije, y la sonrisa desapareció.

—Fue horrible. Siempre lo es. Ojalá hubieras estado a mi lado. Me habría ido muy bien tener una amiga cerca, Hollis.

—¿Estabas completamente sola?

Asintió de una forma imperceptible.

—Al menos, yo tengo a mi familia. Lamento que tú no tengas a nadie.

—Es verdad, perdóname por pensar solo en mí. Siento mucho lo de Silas. —Suspiró—. Es la lamentable consecuencia de estar siempre sola: no pienso en otra cosa.

—No seas tonta. Has sufrido mucho, lo entiendo perfectamente. Y si te consuela, yo también pienso en ti. Constantemente.

Los ojos de Valentina se llenaron de lágrimas.

—Necesito tu ayuda, Hollis. ¿Cómo huiste tú de Keresken?

—En realidad, no hui —respondí, sin atreverme a mirarla directamente—. Le dije a Jameson que me iba. Pero si me preguntas lo que creo que me estás preguntando... Supongo que las circunstancias en tu caso son mucho más complicadas.

Por el rabillo del ojo vi que levantaba la mano para tocarse la sien.

—¿Corres peligro?

—No lo sé. Pero esta boda implica que ha perdido la esperanza conmigo. Y, sinceramente, no creo que pudiera soportar volver a intentarlo. Pero no sé lo que sucederá…, no sé si sabes… que Silas podría haber sido…

—Sé lo de los Caballeros Oscuros, y sí, creo que fueron ellos los que lo mataron. Y creo que es el rey quien los controla. Así que necesito tu ayuda, como amiga. Soy consciente de que es un riesgo, pero podríamos ofrecerte protección si nos consigues lo que necesitamos.

Dio un sorbo a su bebida.

—¿Y qué es lo que necesitáis?

—Alguna prueba. Necesitamos saber que ha asesinado a los suyos. Algún documento, cualquier cosa que les proporcione a los Eastoffe o a los Northcott un motivo legítimo para apoderarse del trono.

Ella se rio.

—A ese nunca conseguiréis arrancarlo del trono.

—Ese hombre es viejo, y su hijo apenas se mantiene con vida. Si no consiguen tener un heredero legítimo…

—¿Y qué pasaría si pudiera demostrar algo?

—¿Qué quieres decir?

Se quedó callada un buen rato.

—Puedo entrar en el despacho de Quinten. Sé dónde guarda sus papeles más importantes, aunque no tengo muy claro qué dicen. Puede que no haya dejado ningún rastro… Si hay algo, te traeré lo que pueda a la recepción de mañana. Pero tienes que encontrar un modo para sacarme de aquí, Hollis. No puedo quedarme.

—Hecho.

—Bien. Mañana ponte un vestido con mangas isoltanas —dijo, y se puso a caminar por el salón sin rumbo fijo.

Lo habíamos conseguido. Teníamos a la única aliada que

podía hacer algo para salvar nuestra causa. Esta parte del plan, al menos, había salido bien.

Mis ojos se encontraron con los de madre y asentí; ella y el tío Reid me devolvieron el gesto, aliviados. Scarlet, que evidentemente había estado observando todo el rato, vio mi expresión triunfal y me hizo un gesto de reconocimiento con la cabeza. A la tía Jovana tendríamos que informarla más tarde. En cuanto a Etan... Etan seguía rodeado de jóvenes damas, seguramente prendadas de cada una de sus palabras. Entre guiños y besamanos, levantó la vista y me miró. Yo le sonreí y asentí levemente, y él meneó la cabeza un poco para indicar que había recibido el mensaje.

Fuera lo que fuese lo que había ocurrido en el patio, tendríamos que dejarlo ahí fuera. En el interior del castillo, teníamos un rey que derrocar.

22

Llevaba tumbada en la cama un buen rato, pasándome los dedos por los labios. Los sentía diferentes. Toda yo me sentía diferente.

Intenté buscar el momento decisivo, porque estaba segura de que tenía que haber uno. ¿Cuándo había pasado de desear que Etan desapareciera de la faz de la Tierra… a querer que estuviera en la misma habitación que yo, metiéndose conmigo? Lo deseaba a cada segundo. Deseaba que viniera a discutir conmigo, a desafiarme, o a menear la cabeza de aquel modo tan característico cuando yo hacía algo bien. Y que me besara. Deseaba desesperadamente que me besara.

No era capaz de determinar el momento. Ni era capaz de precisar el motivo. Pero ahí estaba, y era algo más fuerte que mi preocupación, mi sentimiento de culpa y mis esperanzas: el corazón me golpeaba en el pecho, inflamado por Etan Northcott. No tenía claro hasta dónde llegaba aquel sentimiento, pero su propia existencia me hacía sentir incómoda. Habíamos estado hablando de mi difunto marido antes del beso. Me parecía una deslealtad a todo lo que significaba Silas dejar que mi corazón se fijara en otra persona, sobre todo tan pronto. Claro que también lo nuestro había sido muy rápido. Habíamos huido juntos solo unos días después de conocernos, y nos habíamos casado dos semanas más tarde.

Había pasado más tiempo siendo la viuda de Silas que su amante. Pero no quería hacer como si todo aquello no hubiera existido.

Porque había existido. Silas había existido, y efectivamente me había salvado, y si ahora estaba pensando en ello, era precisamente para asegurarme de que su muerte no hubiera sido en vano.

No podía abandonar todo aquello por un beso que había llegado sin pensar y que, desde luego, yo no había buscado.

Me giré, tendiéndome sobre un costado, y lloré. Lloré porque echaba de menos a Silas y porque sentía que lo estaba traicionando, lloré porque me moría de ganas de ir con Etan. Lloré porque todas esas cosas que había tenido que sentir en cuestión de meses eran demasiada carga para cualquier corazón.

—¿Qué te pasa? —susurró Scarlet.

Me limpié los ojos, sin girarme. Seguía de espaldas a ella. Temía que me viera algo en los ojos.

—Nada. Solo estaba pensando. Sobre unas cosas y otras, supongo.

—Lo sé. Ha sido mucho.

—Te quiero mucho, Scarlet. La verdad es que no sé qué haría sin ti —dije, echando la mano atrás y buscando la suya en la oscuridad.

La encontró y me agarró. Mi hermana. Tenía la sensación de que tendría que pedirle perdón, pero hacerlo significaría confesar, y no era algo que pudiera hacer. Aún no.

—Yo también te quiero. Y también madre, y la tía Jovana, y el tío Reid. E incluso Etan. Él también te quiere.

—Ya lo sé —dije, sorbiéndome la nariz y limpiándome las lágrimas con la manga.

Silencio.

—No creo que lo sepas —dijo, al cabo de un momento,

y tardé dos latidos de corazón en comprender lo que quería decir.

Abrí bien los ojos y me senté en la cama, girándome para mirarla.

—Scarlet Eastoffe..., ¿qué es lo que quieres decir? ¿Sabes algo?

Suspiró, levantando ella también la cabeza.

—Sé que Etan no sonreía así desde hacía años, pero tú le haces reír. Sé que no acepta la prenda de ninguna dama porque nunca quiere compartir sus victorias con nadie, pero aceptó la tuya. Sé que no le gusta admitir cuando se equivoca, pero contigo admite sus fallos. Y sé que nunca jamás ha mirado a nadie como te mira a ti. Hollis, hace mucho tiempo que Etan iba por ahí como sonámbulo... Pero ahora que has llegado tú es diferente.

—¿De verdad?

Scarlet asintió.

—Contigo se ilumina.

Tragué saliva. No estaba muy segura de poder atribuirme ningún cambio positivo en él, aunque me hubiera gustado. Deseaba que fuera cosa mía.

—Quizá tengas razón, Scarlet, pero no importa. No tiene ningún interés en sentar la cabeza. Está flirteando. Como con esa horda de chicas que se le han echado encima en la fiesta de hoy.

—¿Detecto un rastro de celos?

—¡No! —respondí con demasiada rapidez—. Pero seamos sinceras: él mismo dijo que no quería casarse. Y si lo hiciera algún día, sin duda sería con una chica de Isolte, no conmigo. Y por si todo eso no bastara, yo tampoco podría estar con él.

—¿Por qué no? —preguntó, frunciendo el ceño.

Aparté la mirada.

—Silas.

Me agarró del brazo, obligándome a que la mirara, y cuando respondió parecía casi enfadada:

—¿Tú crees que madre te retuvo en el jardín para que pudieras vivir como si hubieras muerto con él? ¿Tú crees que intentamos dejarte en Coroa para que pudieras revolcarte en el dolor del duelo? ¿Es que no has aprendido nada de todo lo que te hemos contado sobre nuestras vidas?

Me quedé allí sentada, perpleja. Ella siguió hablando:

—Ya has visto cómo trabajamos. Cuando un plan salió mal, hicimos otro. Cuando vimos que no podíamos hacer una cosa, encontramos nuevas esperanzas a las que agarrarnos. Cuando no pudimos permanecer en Isolte, nos creamos un nuevo hogar.

»Todo lo que hacemos es vivir. El objetivo siempre ha sido vivir. Te dije que pensaba llegar al final de todo esto viva y libre, y lo decía en serio. ¿Y si un día os pasara algo a ti y a madre y a todos los demás, y solo quedara yo? Lo haré igualmente. Ahora eres una Eastoffe, Hollis. ¿Quieres saber qué papel tienes en la familia? ¿Cuál es tu obligación? Tu obligación es la de vivir.

Los ojos se me llenaron de lágrimas al recordar a madre abrazándome en el jardín, negándose a dejarme entrar otra vez.

—Madre dijo algo así. Dijo que Silas había hecho planes para mí. Que tenía que vivir.

—Por supuesto —dijo ella, asintiendo—. Yo también lo sabía, todos lo sabíamos. Así que, si estás enamorada, Hollis, vive esa vida. Es todo lo que él quería para ti.

Las lágrimas volvieron a surcar mis mejillas.

—Lo sé. No me rescató del castillo para que fuera desgraciada. Sin embargo, aunque a ti te parezca bien que pase página, ¿qué van a decir los demás? Y…, sinceramente, Scarlet, tampoco tengo claro que Etan me quiera.

Scarlet se encogió de hombros.

—Yo creo que sí. Y creo que toda la familia se alegraría de vuestra felicidad. Hace demasiado tiempo que no tenemos nada que celebrar. Hemos perdido nuestras casas; yo he perdido a mi padre y a mis hermanos. La tía Jovana y el tío Reid perdieron a sus hijas. Ambas por enfermedad, no por la corona —precisó enseguida—. Aun así, ninguno queremos regodearnos en nuestras miserias. Si eso es lo único que te frena…

Me sequé las lágrimas.

—No, no es eso. Es que tengo planes mucho más importantes, ¿recuerdas? Cíngaros. Cabras. ¡No voy a renunciar a todo eso!

Scarlet soltó una risita.

—Eres ridícula, Hollis —dijo, y me abrazó con fuerza—. Deberíamos dormir un poco. Mañana es el gran día.

—Sí —respondí, y suspiré—. Pase lo que pase, Scarlet, estoy contigo.

—Lo sé.

Volvió a acostarse, quizás algo decepcionada de que me hubiera negado a decir que quería a Etan, sin más, pero él me había dejado las cosas claras, y era evidente que no valía la pena intentarlo. Además, debíamos pensar en otras cosas, se nos planteaban otras posibilidades. Posibilidades que llegarían con el nuevo día.

23

La mañana siguiente demoré el salir de la habitación todo lo que pude; estaba nerviosa ante la expectativa de ver a Etan. ¿Se explicaría? ¿Me pediría disculpas? ¿Haría como si nada?

Desde luego, mi plan era hacer como si nada hasta que él decidiera sacar el tema. Scarlet podía albergar sus sospechas, pero ella no sabía que nos habíamos besado. Nadie lo sabía. Y así debía quedar la cosa.

—¿Lista? —me preguntó Scarlet.

Negué con la cabeza.

—Tú no te preocupes. Valentina no nos fallará.

Ya casi me había olvidado de Valentina. Me puse en pie, intentando disimular mi nerviosismo.

—Vamos.

En la sala principal solo estaba madre, esperando.

—Ahí estáis, chicas. Estáis guapísimas —dijo ella, dándose palmaditas en el cabello, como si lo tuviera despeinado. No era así—. Tengo la sensación de que es un poco temprano para casarse, pero supongo que lo hacen porque así quedan más horas del día para la celebración. Hace un tiempo espléndido para una boda, ¿no os parece?

Scarlet se le acercó y le apoyó una mano sobre la suya.

—Sí, madre. Hace un día precioso. Y seguro que mejora aún más.

Madre tragó saliva, pero acto seguido asintió y sonrió.

—Yo también estoy nerviosa —confesé.

La tía Jovana apareció en la puerta, con el tío Reid justo detrás.

—¿Alguien ha dicho que estaba nerviosa? Gracias a Dios. Yo no he podido parar quieta desde que me he despertado.

—Ni tampoco mientras dormías, y los cardenales de mi cuerpo lo demuestran —bromeó el tío Reid, y ella le dio un golpecito en el brazo, sonriendo.

—¿Quién falta? ¿Etan?

Justo en el momento en que pronunciaban su nombre, Etan salió de su habitación, pasándose los dedos por el cabello y tensándose el cinturón con la otra mano.

—Estoy aquí. Lo siento. No he dormido bien.

Vaya. Ya no era yo la única.

No le miré directamente a los ojos. Aún no estaba preparada.

—Todavía tenemos tiempo, hijo. Coge aire —dijo el tío Reid—. De hecho, más vale que todos respiremos hondo antes de salir. Erguid bien el cuerpo y preparémonos para ponernos en marcha.

Por primera vez desde que habíamos establecido nuestro acuerdo, vacilé. Pero no importó, porque vino él a mí. El corazón se me disparó al sentirlo cerca. Y cuando conseguí levantar la mirada del suelo vi…, ¿cómo podía describir lo que veía? La tensión que solía atenazar su mandíbula había desaparecido, y aquella mirada de preocupación y de desconfianza… también. Seguía siendo Etan, pero no parecía el mismo.

Normalmente solía girarse hacia la puerta y me ofrecía el brazo de un modo muy formal. Pero en esta ocasión me tendió la mano.

—Venga, desastre. Vamos a llegar tarde —bromeó.

Sonreí, aliviada. Podía hacerlo.

—¿Dónde demonios dormiste anoche? Hueles a granero —respondí, apoyando mi mano en la suya, recordándome a mí misma que cualquier rastro de emoción que me pareciera percibir estaba solo en mi cabeza, y no en la de él, y nos pusimos en marcha.

Como familiares del rey, teníamos asignadas las primeras filas del templo. Etan y yo pasamos por delante de la multitud congregada, y él respondió con un leve movimiento de la cabeza a los que le saludaban.

La música del órgano creaba una banda sonora más inquietante que romántica, aunque quizá fuera lo que correspondía en aquel momento. Había unos cuantos arreglos florales en la parte delantera del templo, pero eran la única decoración presente. No había color ni en las ventanas. Desde luego, todo aquello encajaba perfectamente con la sensación que me producía el evento. Aquel espacio me transmitía la imagen que siempre había imaginado que tendría Isolte: oscuro, húmedo y decididamente menos acogedor que Coroa. Pero incluso en un lugar así había encontrado quien me llegara al corazón.

En respuesta a alguna señal que no vi, el rey y la reina entraron y recorrieron el pasillo. Quinten tenía una expresión tan agria como siempre, y avanzó por el pasillo apoyado en su elegante bastón, mientras Valentina paseaba la mirada por la sala como si buscara algo. Tenía una mano apoyada en la de Quinten, y la otra en la cintura, como si intentara convencer a la gente de que estaba embarazada. Caminaron ceremoniosamente hasta llegar a los dos tronos situados en la cabecera, a la derecha de la sala.

Poco después entraron el príncipe Hadrian y la princesa Phillipa, cogidos de la mano. En aquel momento, todos nos levantamos, y no pude verlos avanzar hasta que estuvieron casi en primera fila.

El pobre príncipe Hadrian ya tenía la frente perlada de sudor, agotado solo de haber tenido que cruzar el templo. Su palidez quedaba aún más patente en contraste con la princesa Phillipa, con su cutis claro y sus mejillas rosadas.

—Eso también es preocupante —me susurró Etan—: el padre de ella está muerto, así que su hermano mayor es rey; sin embargo, no se ha sentido obligado a venir a entregarla en matrimonio personalmente. Ni siquiera ha enviado a un noble para que actuara en su nombre. ¿Eso qué significa?

—Podría significar que esta boda no le importa. Pero no se me ocurre por qué. Están estrechando lazos con el mayor país del continente, y con ello ganan en seguridad. No hay nada en esta boda que tenga sentido. Las prisas, las circunstancias que la rodean…, nada.

Etan inspiró con fuerza, como si estuviera calculando, intentando encontrarle el sentido a la información que se le planteaba. Su gesto no revelaba nada, si es que se le pasaba algo por la cabeza.

—Por favor, sentaos —dijo el sacerdote, con gesto sereno—. Hoy estamos reunidos para unir no solo dos almas, sino dos reinos. En términos de eternidad, no es fácil decir cuál de estas dos cosas es más importante. Nos da a todos un momento para reflexionar y pensar en nuestras propias vidas, en nuestros pequeños reinos, aquellos que nos construimos a nuestro alrededor.

Yo tenía las manos pegadas al pecho desde el momento en que nos habíamos sentado, y no había dejado de toquetear mis anillos con nerviosismo. Pero al oír aquellas palabras olvidé por un momento mi preocupación y las bajé, posándolas sobre el borde del banco.

—Construirse el propio reino es de sabios, algo muy valioso, levantar muros y dejar un legado que se mantenga más allá de nuestra existencia. Vale la pena construirlo, aumentarlo, asentarlo. Es lo que hace que muchos consigan alcanzar la grandeza, el motivo que les permite aspirar a la gloria. Todos queremos que nuestro pequeño reino tenga un nombre; queremos que sea recordado.

Paseó la mirada por la sala, para acabar posándola en Hadrian. No sé qué vio en su rostro, pero frunció el ceño y a partir de entonces habló mucho más rápido.

—Sin embargo, posiblemente aún más importante son los otros pequeños reinos que nos rodean, los reinos con los que tenemos ocasión de unirnos. Eso también tiene valor, compartir, emparejarse. Porque ¿de qué vale un reino, pequeño o grande, si tenemos que disfrutarlo a solas? ¿De qué vale un castillo en el que una persona tenga que verse sola?

Etan separó las manos del cuerpo y también se agarró al borde del banco. Su mano derecha tocaba la mía izquierda, de modo que podía sentir su calor —y quizás incluso su pulso firme, o eso me pareció—. ¿Sería intencionado aquel contacto?

—Así pues, recemos y bendigamos la unión del príncipe Hadrian y la princesa Phillipa, de dos almas y de dos reinos.

Quizá fuera porque Hadrian cada vez dejaba caer más los hombros, pero el sacerdote aceleró sus oraciones hasta el punto de que costaba seguirlas. Y así, de pronto, quedaron convertidos en marido y mujer, en príncipe y princesa, el siguiente eslabón necesario para asegurar la línea dinástica del rey Quinten.

Todos aplaudíamos como correspondía, pero sentí algo hundiéndose en mi interior. Sabiendo todo lo que me había arrebatado Quinten, me dolía ver que era capaz de conseguir lo que quería.

Todos asistimos en pie al desfile del rey, la reina, su hijo y su nueva nuera por el pasillo; en cuanto estuvieron fuera del templo, salimos tras ellos. En la puerta, la familia real se paró a recibir la felicitación de todos los invitados antes de que empezaran las celebraciones.

El tío Reid y la tía Jovana eran los primeros de la fila, e hicieron sus reverencias conteniendo todo el dolor, la rabia y la decepción que sin duda sentían. Cuando llegué ante la familia real, me encontré en primer lugar con el rey Quinten. Detrás estaba la pareja de recién casados, y Valentina al final. No entendía muy bien el motivo por el que Quinten no tuviera a su mujer a su lado, pero tras pensarlo un momento vi que tenía todo el sentido: estaban ordenados por rango, aunque solo fuera según su modo de ver.

—Enhorabuena, majestad. Es para mí un honor.

—Estoy seguro —dijo, sin mirarme siquiera, antes de hacerme pasar a la posición que ocupaba el príncipe Hadrian.

—Alteza real, mis deseos de muchos años de felicidad en compañía de vuestra esposa.

Entonces caí en que nunca había oído hablar a Hadrian. Supuse que no sería mudo; simplemente no había hablado nunca en mi presencia. Y ese día no fue una excepción. Asintió, apretando los labios para esbozar algo parecido a una sonrisa, pero fue Phillipa la que habló.

—Muy amable. He oído que te une cierto parentesco con la familia real. Espero que nos veamos en la corte.

—Quizás, alteza. Eso depende por completo de mi madre —respondí, sin tener muy claro si podía confiar en la princesa, y pasé adonde estaba Valentina.

Ella me tendió la mano como si esperara que se la besara. Cuando se la cogí, ella me agarró los dedos con fuerza y tiró de mí.

—Llévate esto inmediatamente a tu habitación y escóndelo. Ya nos veremos en la recepción. No te olvides de mí.

De la manga del vestido que tenía pegada al vientre sacó varios papeles y me los metió en la manga de mi vestido.

Puse una mano encima para asegurarme de que no se caían y luego hice la reverencia de rigor.

Etan, que ya había completado la ronda de saludos, me tendió la mano.

—Ahora no. Tengo que ir a mi habitación. Nos veremos en la recepción —dije.

Me abrí paso por entre la muchedumbre que volvía hacia el castillo, donde encontré a Scarlet.

—Necesito la llave de tu arcón —murmuré.

Sin preguntarme nada, se la sacó del bolsillo y me la metió en el mío. Al entrar en el castillo me separé de la multitud, recorrí los pasillos y volví a nuestra habitación. Después de cerrar la puerta, saqué el paquete de cartas que llevaba en la manga. Me quedé un momento inmóvil, admirada ante la gesta de Valentina. No solo había conseguido hacerse con la información que necesitábamos, sino que la había mantenido oculta mientras estaba justo al lado de la persona a la que se la había robado.

Me moría de ganas de leerlo todo y de ver de qué disponíamos, pero Valentina me había dicho que fuera a la recepción, y eso fue lo que hice. Tenía razón, por supuesto; debíamos asegurarnos de que nos veían.

El arcón de Scarlet era viejo, y la cerradura se me resistió varias veces, pero cuando por fin conseguí abrirlo, metí las cartas dentro, envueltas en un par de medias, bajo un montón de ropa, antes de cerrarlo otra vez. Y entonces, como si así fuera a estar más seguro, empujé el arcón y lo metí bajo la cama.

Respiré hondo y me alisé el vestido. Había llegado el momento de celebrar una boda.

24

Habían preparado el Gran Salón para la recepción. Todo estaba decorado de color blanco. Tapicerías, flores, cintas…, todo transmitía una imagen limpia, clara y pura. Las mesas se habían situado de modo que quedara un espacio para el baile, y la pareja de recién casados ya estaba sentada en la mesa presidencial, desde donde saludaban a todo el que mirara en su dirección con leves gestos de la cabeza.

—¿Te encuentras mejor, Hollis? —me preguntó madre, con la clara intención de que nos oyeran.

Yo no sabía quién podía estar mirando, pero le seguí el juego.

—Sí, en el templo me ha entrado un poco de calor, pero ahora me siento mucho mejor.

—Bebe algo —me propuso Etan, que se puso en pie para que pudiera ocupar su asiento.

—Gracias.

—Voy a comer pastelillos hasta ponerme mala —declaró Scarlet.

—Un plan excelente —dije, girándome a mirar a los presentes.

Por primera vez, dejé de contemplar la sala como un único conjunto y vi que resultaba muy fácil dividir a los invitados en dos grupos: los que sonreían y los que no. Había quien ponía buena cara cuando alguien se le acercaba, pero en la mayoría de los casos no parecían tan contentos como se suponía que debían estar con aquel enlace.

¿Sería que tras saber que Quinten había asesinado a Silas la gente ahora había llegado al límite de su paciencia? Si pudiéramos enseñarles alguna prueba, ¿seguiría la mayoría al tío Reid? Pensé en el arcón que tenía bajo la cama, muriéndome de ganas por saber qué decían aquellas cartas, esperando con todas mis fuerzas que por fin algo se nos pusiera de cara.

Etan ladeó la cabeza, acercando la boca, y sentí su aliento en mi oreja cuando me preguntó:

—¿Tenemos algo de Valentina?

No había dicho nada sobre la noche anterior, no había dicho nada de que quisiera besarme otra vez, no había dicho que lamentara todo lo ocurrido. Lo único que sabía era que sentirlo así de cerca hacía que mi piel reaccionara con la esperanza de notar su contacto. Sabía que ya había registrado su olor en mi memoria, que de pronto había decidido que, si el viento tenía un olor, era el suyo. Sabía que si en ese momento se me llevaba a un rincón y me besaba, lo recibiría con ganas.

Asentí, sin más, y él sonrió e irguió la cabeza.

La música cambió y vi que el espacio en el centro de la sala se despejaba.

—Oh, Hollis —me dijo el tío Reid—. ¿Querrías acompañar a Etan en el primer baile?

—¿Qué?

—Es la tradición —precisó la tía Jovana—. Las familias más nobles bailan en honor de la nueva pareja.

—Pero yo no conozco vuestros bailes —protesté, angustiada—. ¿Por qué no le pedís a Scar...?

¿Dónde se había metido Scarlet? Escruté el salón y vi que tenía algo de aspecto delicioso en las manos, y que justo en frente estaba Julien, tan alto como indeciso, sonriendo como si buscara cómo decir algo sobre lo que quiera que fuera aquello a lo que Scarlet le había dado un bocado. Componían una imagen preciosa. Aunque hubiera podido cruzar el salón a la carrera para arrancarla de allí, no lo habría hecho.

Me giré hacia Etan.

—¿Dudas de mi capacidad para llevar? —preguntó, con esa sonrisa socarrona tan suya en los labios.

Aquellos labios.

—Las únicas parejas con las que te he visto lidiar son esos tipos de la justa, y la verdad es que preferiría salir de esta sala por mi propio pie, si no te importa.

Madre se rio al oír aquello, pero Etan me tendió la mano, sin inmutarse. Yo la cogí, y me llevó a la pista de baile.

—No es más que una volta. Si sabes bailar eso, no tendrás problemas.

—¡Oh! Me encanta la volta.

—Perfecto. Entonces no me necesitas para nada.

Ladeé la cabeza y le miré por el rabillo del ojo.

—Dices eso como si alguna vez te hubiera necesitado.

Sonrió.

Otras parejas salieron a la pista, y yo me situé hacia el centro, junto a las otras mujeres, mientras los hombres se colocaban en el exterior, en una alineación que recordaba la silueta de una flor. Cuando empezó a sonar la música, Etan y yo nos pusimos en movimiento, pasando uno junto al otro, trazando círculos y cruzándonos con la pareja de al lado. El baile tenía tanto movimiento que habría resultado imposible hablar. Así que bailamos, cogidos de la mano.

Etan hizo lo que había dicho, esperando exactamente en el punto indicado, con la precisión que se esperaba de él. El flequillo le caía sobre los ojos, y echaba la cabeza atrás para despejar la frente, sin apartar la mirada de mí. Yo sonreía.

Y aquella sonrisa me salía de dentro. Llegamos al momento del baile en que podíamos movernos uno al lado del otro, y Etan me agarró con fuerza.

Me miró a los ojos fijamente. Había algo en ellos que decía que quería hablar, decir algo ahora que ya no teníamos el peso de nuestra familia sobre los hombros. Siguió escrutándome el rostro, quizás intentando juzgar cómo reaccionaría si hablaba. Intenté decirle sin palabras que su disculpa, su explicación o lo que fuera que quisiera decirme sería bien recibido. Estaba preparada para cualquier cosa.

Pero lo único que hizo fue sonreír.

Llegaba el final del baile, afortunadamente, porque me estaba quedando sin aliento. Tres levantamientos seguidos, y se acabaría. Di una última vuelta a la pista hasta situarme frente a Etan, que ya estaba preparado, sonriendo burlón, dispuesto a demostrarme que podía hacerlo. Me impulsé para que me levantara más fácilmente, echando la cabeza atrás. El público admiraba el movimiento sincronizado de las parejas, y muchos aplaudían. Me levantó por segunda vez, y yo me reí al oírle gruñir como si protestara por el peso. La tercera vez que me levantó miré hacia abajo y me pareció verle… contento.

Pensé en el día en que nos habíamos conocido. Debía de sentirse fatal, viéndose obligado a llevar a su familia a la guarida de su enemigo, al país de los que habían matado a sus amigos. Pensé en lo que le había molestado que me hiciera un lugar en su casa, que me infiltrara en el único lugar del mundo que consideraba suyo. Pensé en toda la rabia que había imperado en nuestra relación. ¿Dónde había ido a parar? Ahora me sostenía en el aire con tal cuidado que sabía que, aunque un terremoto sacudiera los cimientos del castillo, él no me dejaría caer. Las personas no son su primera imagen. No son su linaje ni su país. Son lo que llevan dentro. Y, a veces, hay que escarbar para llegar a ellos.

Acabamos el baile con una floritura, y recibimos el aplauso de toda la comitiva, incluidos los recién casados. Yo seguía agarrada a la mano de Etan, que me sacó de la pista.

—Hacía un montón que no bailaba así —dije, casi sin aliento—. No me había dado cuenta de lo mucho que lo echaba de menos.

—¿Quieres decirme que Scarlet aún no ha intentado levantarte a pulso? —preguntó, fingiéndose incrédulo.

—La verdad es que no ha habido ocasión.

—Ah, bueno.

Me llevó junto a una ventana, y observamos a otras parejas que ocupaban la pista de baile e iniciaban un baile algo más lento.

—Gracias —dije.

—¿Por qué?

—No estoy segura. Quizá por todo.

Chasqueó la lengua.

—Bueno, de nada entonces. —Se hizo un largo silencio, en el que no dejó de sonreír, y luego añadió—: Y lo siento. Lo de anoche. No sé qué me pasó.

Daba la impresión de que estaba acostumbrándome a besar a chicos a los que no debía besar.

—Bueno, si sirvió para frenar una discusión… Tampoco tienes que disculparte. Ha sido un viaje muy… movidito.

—Y aún no ha acabado.

Negué con la cabeza, con los ojos bien abiertos.

—Desde luego que no.

—Me muero por saber qué dicen las cartas que nos ha conseguido Valentina. Sospecho que mi padre querrá ser el primero en leerlas.

—Tenemos que encontrar el modo de sacarla del castillo. Se lo prometí.

Asintió.

—Si es necesario, puedo llevarla yo mismo. Si no triunfamos, el rey no la dejará en paz. Y si la encuentra, le hará pagar por huir.

—Entonces tenemos que asegurarnos de que no la encuentre.

Etan me miró, y en su rostro no quedaba ni rastro de la sonrisa de antes.

—Tienes mi palabra —dijo, y aquello era más que suficiente.

—Gracias.

—Bueno, tengo una propuesta que hacerte, Hollis.

—Oh, me muero por oírla —respondí, apoyando el codo en el alféizar y mirándolo fijamente. ¿Desde cuándo tenían sus ojos aquellos brillos plateados?

—Después de todo lo que ha pasado y de lo que nos hemos dicho, ¿tú crees que podríamos acabar no solo como cómplices de esta trama, sino como amigos?

Si me hubiera propuesto eso mismo en Coroa, o incluso en Pearfield, habría saltado de la silla de alegría. Pero ahora..., ahora me sentó como si me hubiera derribado del caballo con su lanza. Era evidente que Etan y yo teníamos caminos muy diferentes, objetivos muy distintos.

Con el corazón encogido, recordándome con cada latido que aquello era todo a lo que podía aspirar, sonreí.

—Siempre he querido ser tu amiga, Etan.

—Bien. Bueno, ¿qué te parece un baile más? —dijo enseguida, llevándome de nuevo hacia la pista de baile—. Escandalicémolos, Hollis. Esa pobre gente necesita algo de lo que hablar.

Me reí y corrí tras él, recordando la sensación de tener su mano en la mía.

25

Esperé, más preocupada que nunca, a que el tío Reid repasara las cartas. Por primera vez, vi rezar a Scarlet. Sabía algo de su fe por lo que me había contado Silas, por los votos de nuestra boda —algo en lo que había insistido—, por las tradiciones que parecían transmitirse más de persona a persona que en forma impresa. Yo nunca había sido nada religiosa, y si hubiera querido rezar, probablemente no habría sabido cómo. Si lo había hecho, debía de haber sido mucho tiempo atrás. Aun así, junté las manos y pensé lo único que se me ocurrió: «Por favor». No era demasiado, pero no habría podido decir nada más sincero. Me senté, con la cabeza gacha y el corazón encogido: «Por favor».

Un momento más tarde, el tío Reid salió de su habitación con una serie de cartas abiertas en la mano. Todos nos pusimos en pie de golpe, impacientes.

—Hollis, ¿tú sabes si Valentina ha leído alguna de estas cartas antes de entregártelas?

—No, señor, no lo sé.

Suspiró y las dejó en la mesa, ante nosotros.

—Espero que no. Nadie debería tener que leer cuánto ha pagado su marido para matar a su familia.

—¿Eso está ahí? —dije, conteniendo una exclamación.

Asintió. Sabía que quería pruebas, como todos nosotros.

Pero eso era una cosa, y otra muy diferente era tener que enterarse de todos aquellos detalles.

—Algunas de las cartas son insustanciales, pero hay varias que hacen responsable al rey de muchas de las muertes causadas por esos Caballeros Oscuros en los últimos tiempos, incluidas las de los padres de Valentina. Tenemos los nombres de las víctimas, y creo que la identidad de al menos dos de los asesinos. Si Valentina ha podido coger esto rápidamente, quiere decir que debe de haber mucho más.

Se le veía apesadumbrado. Yo también lo estaba. Y había una pregunta que tenía que hacer, lo necesitaba. Sin embargo, no encontraba el valor para articular las palabras.

Madre lo hizo por mí:

—¿Has encontrado algo de Dashiell? ¿De mis chicos?

El tío Reid negó con la cabeza.

—Hay muchas muertes de las que no hay nada. Eso no significa que no sean responsabilidad suya. Pero lo de las muertes no son la prueba más llamativa que he encontrado —dijo, con gesto fatigado.

—¿Qué podría ser peor? —preguntó Etan.

El tío Reid rebuscó entre el montón de papeles y sacó una carta en particular:

—Nos preguntábamos por qué se había dado tanta publicidad a esta boda. Era para hacer tiempo. De modo que todo el reino pudiera suponer que Phillipa se quedaba embarazada esta noche.

»En realidad, el rey le ha pagado una buena cifra para que accediera a unirse a la familia real. Y también le ha pagado una fortuna a una joven campesina por su hijo, que parece que concibió hace un mes, más o menos.

—No… —murmuró Scarlet.

El tío Reid asintió.

—Está tan desesperado por conservar la corona que se

pasó toda la vida presionando a la reina Vera para que le diera más hijos. Y ha presionado al príncipe Hadrian año tras año, hasta que ha quedado claro que nunca tendría la salud suficiente para lo que él quería. Si el pobre chico ha sobrevivido hasta ahora, es únicamente gracias a nuestros avances en medicina. Si hubiera nacido en Mooreland o Catal, estaría muerto.

Le vi tragar saliva, consciente de que veía por primera vez a Hadrian tal como yo veía a Valentina: como una simple pieza en el juego de otro.

—Cuando empezó a preocuparse de que nuestras familias pudieran llegar a ser más fuertes que la suya, la emprendió con nosotros. Nos quitó tierras, se alegró cada vez que perdíamos a uno de nuestros hijos, nos expulsó del país. Se casó con Valentina por su juventud. Cuando los padres de ella pusieron en tela de juicio la motivación del rey, fueron asesinados. Y cuando quedó claro que ella tampoco iba a darle un heredero mejor, la dejó de lado y puso la vista en Phillipa, que al menos es lo suficientemente lista como para saber dónde se mete. Exigió dinero y el compromiso de que, tras la inevitable muerte de Hadrian, y después de un tiempo de duelo razonable, podría casarse con quien ella quisiera. Tiene todas esas cosas por escrito —dijo, señalando la carta que tenía en la mano y meneando la cabeza—. Si Hadrian muere, no importa. Lo importante es que la gente siga creyendo que Phillipa va a dar a luz a un hijo suyo.

Un escalofrío me recorrió el cuerpo, no lo pude evitar. Quinten había sido tan pérfido, tan calculador… Había movido todas las fichas sobre el tablero para asegurarse de no perder nunca su corona y para controlar a quién iba a parar.

—Ahora tenemos pruebas irrefutables, padre. ¿Qué hacemos? —preguntó Etan.

El tío Reid se quedó un buen rato en silencio. Luego se

puso en pie y volvió a su habitación. Cuando salió, tenía una espada envainada en la mano.

—¿Esa es...? —preguntó madre, dejando la pregunta a medias.

—La espada de Jedreck —respondió el tío Reid, asintiendo—. Ha visto la guerra y ha servido para nombrar a muchos caballeros. Es la espada de un rey, y ahora la usaremos para encabezar una batalla.

Esperaba que el tío Reid se dirigiera a la puerta, que emprendiera algún tipo de acción..., pero se acercó y le entregó la espada a su hijo.

Etan me miró por un instante y luego volvió a mirar a su padre. No sabía qué hacer, y yo estaba atónita.

Cuando pensaba en quién podría acceder al trono, las opciones más evidentes eran Scarlet y el tío Reid. Madre no era una descendiente directa, y Etan tenía a su padre por delante. Pero ahora que pensaba en ello... ¿Por qué había apoyado la gente a Silas y no a su padre? Supuse que después de tener un rey tan viejo como Quinten, querían a alguien que tuviera mucha vida por delante, una vida que pudiera poder dedicar a enderezar el país. Y ese era el caso de Etan, desde luego.

—No le has preguntado a mi prima si quiere hacerlo ella —alegó Etan—. Yo me postraría ante la reina Scarlet —añadió, girándose hacia ella, casi rogándole con los ojos.

Yo también me giré: estaba siendo testigo de la historia. Ella esbozó una sonrisa dulce y se acercó a Etan.

—No —dijo Scarlet con voz suave—. No quiero una espada, ni una batalla, ni una corona. Lo único que he querido siempre es la oportunidad de poder tener mi propia vida, y sé que como reina nunca la tendría.

—¿Estás segura? —le preguntó madre con delicadeza.

—Lo estoy. He tenido mucho tiempo para pensarlo. No

quiero el poder ni la responsabilidad. Y nunca te disputaré la corona, Etan. Cuentas con mi absoluta lealtad, te lo juro.

Etan volvió a mirarme de reojo, y luego miró de nuevo a su padre.

—Yo no…, no puedo…

—Etan, hemos recorrido un largo camino —le recordó su padre.

—¿Y por qué no tú?

En el rostro del tío Reid se reflejaba una calma absoluta.

—Si fuera más joven, quizá. Pero yo no puedo ser un líder. No como tú.

—Tú eres muy valiente, hijo —dijo la tía Jovana.

—E inteligente —añadió Scarlet.

—Tienes una impresionante experiencia militar y… una presencia que muchos envidiarían —constató madre.

—Eres un líder nato, Etan —dije yo, midiendo mis palabras para no hablar de más. Aun así, seguí adelante, sabiendo que en ese momento, más que nunca, necesitaba oír aquello—. Eres vehemente, fuerte y más amable de lo que quieres darle a entender a la gente.

Él miró a su familia, y luego volvió a mirarme a mí.

—A pesar de lo que tú puedas creer, una parte de mi corazón pertenece a Isolte, y yo también me alegraría de que fueras mi rey.

Me miró fijamente a los ojos un buen rato. En un momento vi pasar por su mirada el miedo, la esperanza y la desesperación. Y luego, como si aquello le provocara un dolor casi físico, alargó el brazo y cogió la espada de manos de su padre.

—¿Y qué hago? —preguntó.

—Regresa a nuestras tierras. Reúne al ejército. Llévate parte de estas cartas; cuando nuestra gente conozca la verdad, te seguirá. Haremos llegar la noticia discretamente a los nobles descontentos, les explicaremos lo que está sucediendo y les ofreceremos puestos en tu Gobierno a cambio de su apoyo. Para cuando vuelvas, todo estará preparado. Y aunque confío en que los números nos darán la razón, tienes que ir con cuidado. Si hablas con quien no debes...

—Lo sé —dijo Etan, asintiendo.

—Ahora deberías irte —insistió el tío Reid—. Estaremos esperando a que regreses.

—Un momento —añadió Etan, levantando una mano—. Primero tenemos que traer aquí a Valentina. —Me miró—. Si queremos que tenga una mínima oportunidad de escapar, debo llevármela conmigo. Puedo hacerlo, pero necesito tu ayuda.

—Lo que sea —dije sin vacilar.

26

Nos costó un buen rato encontrar a una doncella dispuesta a presentarse en los aposentos de la reina para entregarle un mensaje. Pobre Valentina. Hasta el servicio temía acercársele demasiado. Por fin conseguimos que le comunicaran que la visitante de Coroa había encontrado algo que le pertenecía y que querría devolvérselo.

Valentina se presentó en nuestros aposentos vestida con su camisón y una bata bordada con hilo de plata.

—Majestad —la saludó el tío Reid, agachando la cabeza—, debéis disculparnos por la urgencia, pero si realmente estáis dispuesta a huir, es vuestra única oportunidad.

Ella me miró.

—¿Hollis?

Me acerqué a ella y le agarré de las manos.

—Valentina, has hecho un gran servicio a tu país. Hoy has salvado a mucha gente. Y nunca podremos agradecértelo lo suficiente.

Sus ojos se llenaron de lágrimas.

—No estaba segura..., pero ¿es suficiente?

Asentí.

Ella cerró los ojos, dejando que las lágrimas fluyeran en silencio.

—¿Quién ocupará su lugar?

Miré a Etan.

Ella se giró hacia él e intercambiaron una mirada prolongada. Valentina estaba a punto de renunciar a una corona; él estaba a punto de acceder a ella. Sus circunstancias iban a invertirse para siempre, y de pronto sintieron ese instante de conexión.

—Contaréis con mi apoyo incondicional, señor.

Él asintió ceremoniosamente en señal de respeto.

—Intercambiemos vestidos —le dije, colocándole mi ropa en las manos—. Dentro de unos minutos partirás a caballo con Etan, que tendrá la excusa de que escolta a su prima de regreso a casa. Él te llevará a Pearfield, y allí ya organizará tu regreso a Coroa. Estos documentos —proseguí, levantando un puñado de papeles— te permitirán pasar la frontera, y también hay instrucciones para mi servicio. Hester te protegerá. Y tenemos oro.

Lo coloqué todo sobre la mesa, a su lado.

Ella se quedó mirando los papeles, intentando asimilar todo aquello.

—Si se entera de esto, te matará, Hollis. Yo…, tienes que saberlo, antes de que me vaya —dijo Valentina, pero al mismo tiempo se quitó la bata y se enfundó mi ropa, con un gesto de miedo en el rostro.

—Ya lo sé. Y he decidido hacerlo igualmente. No me quedan muchas personas en el mundo que me importen de verdad. Tú eres una de ellas, y quiero asegurarme de que estás bien.

Los ojos se le llenaron de lágrimas otra vez. Miró a su alrededor y vio los gestos amables de las personas que la miraban. Me pregunté cuánto tiempo haría que nadie la trataba con amabilidad.

—¿Cómo puedo agradecéroslo?

—Somos nosotros los que estamos en deuda con vos —insistió el tío Reid—. De hecho, esperamos que nos perdonéis. Deberíamos haber visto que necesitabais ayuda, y no lo vimos. Aún os consideraríamos una aliada de Quinten, de no haber sido por Hollis.

Sus ojos llorosos me miraron. Quizá fuera el momento de decir algo, palabras de gratitud o de amor, pero ninguna de las dos pudimos decir esta boca es mía. No quería decirle adiós, pues parecería algo definitivo. Pero si tenía que convencer a Valentina para tenerla a mi lado cuando todo aquello acabara, la convencería.

—Cuando llegues a Varinger Hall, no dejes de mandar a alguien para que nos lo comunique. Necesito saber que estás a salvo.

—¿No vendrás enseguida? —preguntó ella, extrañada.

Etan tenía la mirada puesta en el suelo en aquel momento, gracias a Dios. Si me hubiera mirado con aquellos ojos azul pizarra surcados de vetas plateadas, seguramente habría perdido la determinación y el corazón se me habría hecho añicos. El corazón que él me iba robando trozo a trozo, con cada sonrisa insinuada y cada mirada en silencio. ¿Y qué sería de mí cuando se hubiera hecho con todo mi corazón, si yo no tenía ni un poco del suyo?

—Sí, por supuesto. Iré. Solo que aún no sé cuándo. Tú ten mucho cuidado —dije, acercándome para besarle la mejilla.

—Debemos irnos —dijo Etan.

Di un paso atrás, sintiendo un escalofrío en la espalda que no tenía nada que ver con el constante viento de Isolte.

—Buena suerte, hijo —se despidió el tío Reid, apoyando una mano sobre el hombro de Etan, al tiempo que le entregaba algunas de las cartas más incriminatorias—. Te estaremos esperando.

Etan asintió y le estrechó la mano a su padre. Albergábamos esperanzas en que la gente nos siguiera, pero si Etan fracasaba…

No tendríamos modo de saberlo hasta que fuera demasiado tarde.

Etan abrazó a su madre y le susurró algo al oído. Vi que ella hacía una mueca, consciente de la seriedad de su petición. Él dio un paso atrás y la miró a los ojos. Aquello era algo más profundo que una simple despedida; era casi como si estuviera haciéndose una promesa. Él respiró hondo, y ella asintió lentamente.

Luego se acercó a madre y la besó en la mejilla.

—Mantén al grupo unido —le dijo medio en broma.

Ella sonrió. Entonces se acercó a Scarlet.

—Última oportunidad para ser reina. Te cedería el honor sin pensármelo dos veces. Ni preguntas ni remordimientos.

Scarlet sonrió manteniendo la compostura y le hizo una profunda reverencia.

—Vale, me queda claro —dijo Etan, cuando ella volvió a enderezarse. Le dio un beso en la frente y se situó frente a mí.

Viéndolo allí delante y sabiendo el peligro al que nos enfrentábamos, acudieron a mi mente muchísimas preguntas. Sin embargo, aunque no hubiéramos tenido público, no habría sido capaz de plantearlas todas.

—Volveré —me susurró—. Por favor..., cuídate..., por favor.

—Tú también —susurré yo.

Él me pasó los dedos por entre el cabello de la nuca y me besó en la frente, deteniéndose quizás un instante más de lo necesario. Luego se dirigió a Valentina.

—Venid, majestad; no disponemos de demasiado tiempo.

Valentina nos miró por última vez y desapareció en el pasillo sin decir una palabra más. Etan no se giró, y yo me quedé rezando para que el aleteo de su capa al salir por la puerta no fuera lo último que viera de él.

27

Aquella noche ninguno de nosotros durmió. Y nos pasamos despiertos también todo el día siguiente. No tenía ni idea de lo que se tardaba en formar un ejército, pero no me quedaría tranquila hasta que viera un par de ojos de color gris azulado cabalgando en dirección al castillo.

Y sospechaba que lo mismo pensaban todos los demás. El tío Reid actuó con sigilo, aunque también con rapidez. No quería dejar nada por escrito por si las cosas salían mal, pero no paraba de entrar y salir de nuestros aposentos, pasando información a otros nobles y calculando los apoyos con los que contábamos.

También madre y la tía Jovana recibían visitas, las esposas e hijas de las familias más nobles, para confirmar que nos darían apoyo, y consiguiendo excusas creíbles para los que pasaban más tiempo del debido fuera de sus casas, de modo que el servicio no sospechara.

No conocía a todas aquellas personas, y aunque no me excluían de las conversaciones, tampoco me sentía cómoda participando en ellas. No me sentiría cómoda hasta que regresara Etan, hasta que todo estuviera resuelto. Hasta ese momento, podía suceder cualquier cosa.

Estaba apoyada en el alféizar de la ventana, observando el horizonte mientras se ponía el sol, compartiendo mis preocupaciones con Scarlet, cuando ella se sentó a mi lado.

—No estará herido, ¿verdad? —le pregunté.

—No, seguro que no.

Tragué saliva, recorriendo los campos con la mirada. Oí que alguien roncaba. El tío Reid estaba rezando, muy concentrado, pero madre se había quedado dormida en un sillón. No me giré a mirar qué hacía la tía Jovana.

—No le habrán acusado de traición y le habrán asesinado en algún lugar de la campiña, para meterlo después en alguna tumba anónima, ¿verdad?

Scarlet frunció los párpados y se giró a mirarme.

—Qué nivel de concrección, Hollis.

—Es la imagen que me viene a la cabeza una y otra vez. Que intenta explicar la verdad por todos los medios, pero que nadie le cree. Y que se encuentra solo, enfrentado a muchos hombres. Me aterra que pueda estar muerto en algún lugar y que no lleguemos a enterarnos.

—Ten fe, Hollis —dijo ella. Aparté la mirada del horizonte y miré a mi hermana, que apoyó una mano en mi hombro y añadió—: Etan… es fuerte. Quizá demasiado fuerte. Y está luchando por algo bueno; no se rendirá. Además…

Cerró la boca y apretó los labios, como si temiera hablar de más. Pero miró alrededor, vio que los otros miembros de la familia no estaban atentos; aun así, bajó la voz hasta que no fue más que un susurro.

—Además, está claro que va a volver a por ti.

—¡*Shhhh!* —repliqué, asegurándome de que no nos escuchaba nadie—. Ya hemos hablado de esto.

—Sí, y es evidente que no me quieres escuchar.

—Ya te lo he dicho. Lo que siente por mí no es lo que a ti te parece —insistí, irguiendo la espalda—. Me preguntó si podíamos llamarnos «amigos». Amigos, Scarlet. Nada de declaraciones de amor eterno, no me ha pedido que le espere mientras él lucha por hacer justicia con su familia, nada de eso. Amigos.

Ella descansó la barbilla sobre los brazos, apoyados en el alféizar de piedra de la ventana.

—¿Y por qué te crees que te hizo esa petición, querida hermana?

«Porque era el único modo de salvar la cara después de cometer el tremendo error de besarme», pensé.

—Porque al menos ya no me odia, y quería que lo supiera, antes de que nuestros caminos se separen definitivamente.

Ella me sonrió como si fuera la criatura más simple que hubiera visto nunca.

—Porque creía que lo rechazarías si se atrevía a pedir algo más.

Suspiré.

—Y todo este tiempo, yo pensando que tú eras tan modosita... —Me giré y posé la vista en la verja de entrada al castillo.

—¿Lo habrías hecho?

—¿El qué?

—Rechazarlo.

—¿Qué quieres decir?

Scarlet resopló, como si estuviera harta de mis evasivas.

—Si Etan te hubiera declarado su amor eterno, si te hubiera pedido que le esperaras...

—Oh. Eso... Bueno, no me lo ha pedido.

—¡Por Dios, Hollis! ¿Y si lo hubiera hecho?

—No, ¿vale? —dije, y volví a bajar la voz enseguida, cuando vi cabezas levantándose a nuestro alrededor. Recobré la compostura y añadí—: Desde luego no se lo habría dicho a nadie, porque no quiero que penséis que no quería a Silas, pero no... No lo habría rechazado. Si dependiera de mí, le habría invitado a hacerlo personalmente.

Tragué saliva, sintiendo un extraño dolor en el pecho, ahora que lo había admitido en voz alta.

—Estoy convencida de que, si Silas estuviera aquí, habrías dedicado la vida entera a hacerle feliz —dijo Scarlet, apoyando su mano sobre la mía—. Sé que eres leal y cariñosa, casi incluso demasiado. No debes culparte de no haber tenido la ocasión de demostrarlo. Nosotros, desde luego, no te culpamos. Eres libre, Hollis.

—No lo soy. Haría daño a madre, lo sé —repliqué, dándole vueltas al anillo que llevaba en el dedo, el que ella me había dado, el que había ido pasando de generación en generación a partir del propio Jedreck. Me había ganado el derecho a llevarlo al casarme con su hijo. No podía abandonarlo, sin más—. Además, si Etan tiene éxito, será rey. Tendrá que celebrar un matrimonio de conveniencia. Debe asegurar su descendencia lo antes posible, y estoy segura de que todo noble que lo apoyó esperará que se case con una joven isoltana con un linaje impresionante.

—Ahora tú también eres isoltana, Hollis. Y tienes un linaje impresionante.

Suspiré.

—Eso no es… ¿Por qué insistes tanto en esto?

Ella se encogió de hombros, con una sonrisa de oreja a oreja en el rostro.

—Ya te lo he dicho. Necesitamos tener algo que celebrar. Además… —volvió a mirar hacia la sala, manteniendo un tono de voz bajo—, todos han hecho comentarios sobre la confianza que habéis ido cogiendo a lo largo de este viaje. No sé cómo ha sido, pero es un cambio sustancial, y todos lo han visto. Puede que no sepan hasta dónde llega la cosa, pero, aun así…, cuando lo mencionan, siempre es con una sonrisa en los labios.

Me quedé pensando en aquello, en que cabía la posibilidad de que nadie me odiara por enamorarme de Etan. Pero no podía bajar la guardia. Su apoyo me reconfortaba, aunque seguía convencida de que él no tenía ningún interés. Me había llamado «amiga»; en cualquier caso, no quería casarse, y si un día lo hacía, la gente esperaría que fuera con alguien especial.

Más valía que protegiera mi maltrecho corazón; algún día, algún pobre chico podría manifestar interés por él.

—Tengo que observar la puerta, Scarlet. De momento, lo único que necesito es que siga con vida.

—Eso no apoya en absoluto tu tesis —observó, meneando la cabeza.

Suspiré. Tenía razón, por supuesto.

—Cualquiera que sea la tesis, no cambia los hechos.

—No seas ridícula, Hollis. El amor es un hecho.

28

Estaba increíblemente cansada. Pero seguía montando guardia, hecha un manojo de nervios, sintiendo una mezcla de miedo en el corazón, en el vientre y en las manos. La fuerza de voluntad me mantuvo despierta: cuando la noche se volvió oscura, fruncí los párpados y me puse a buscar una lámpara. Y cuando el cielo azul oscuro se volvió púrpura, y el púrpura se transformó en rosa, yo seguía ahí, sin dejar de pensar: «Llegará en cualquier momento». Porque tenía que hacerlo, ¿no? Tenía que conseguirlo.

Y entonces, cuando ya parecía que iba a estallar de nervios, apareció un línea gris en el horizonte.

Levanté la cabeza. Scarlet, observando mi cambio de postura, se movió a mi lado y miró en la misma dirección, desperezándose.

—¿Qué es…?

—Es un ejército, Hollis —respondió ella, estupefacta.

Nos quedamos mirando un momento más, para asegurarnos, hasta distinguir su rostro. Solo tardamos un segundo. Y cuando estuvieron frente a la puerta, sonó una corneta, anunciando su llegada como correspondía.

—¡Está aquí! —grité, como si la corneta no hubiera atraído ya a todo el mundo a la ventana—. ¡Está ahí, y le acompaña un montón de gente!

Esperaba poder contar a los miembros de su comitiva, pero me quedé atónita al ver la cantidad de hombres —y algunas mujeres— que marchaban a pie y a caballo, bajo una bandera plateada, acercándose al castillo.

—¡Está bien! —dijo la tía Jovana entre lágrimas, con la voz rota de una madre que había soportado en silencio la preocupación de no saber qué habría sido de su último hijo vivo.

—¡Impresionante! —susurró madre, sobrecogida ante aquella imagen.

Scarlet se limitó a asentir.

Todos se quedaron asombrados ante las dimensiones del ejército de Etan, pero yo solo tenía ojos para él.

Iba muy erguido, con gesto serio y decidido, sin miedo. No lucía aún corona alguna, y estaba segura de que, aunque la hubiera tenido, no se la habría puesto hasta llegar al final de todo aquello. Lo que sí llevaba era su armadura; su imagen, mientras avanzaba a caballo hacia el castillo, era mucho más regia que cualquiera que hubiera podido transmitir Quinten.

—Ha llegado el momento —anunció el tío Reid—. Erguid el porte. Vamos a recibir a Etan y a avisar a los demás.

Yo llevaba el mismo vestido desde hacía más de un día. Y quizás el rojo no fuera el color más indicado para la ocasión, pero era demasiado tarde para corregir tal detalle. Me peiné el cabello con los dedos y me coloqué la melena sobre un hombro.

—Estás preciosa —dijo Scarlet—. Aunque se te ve la preocupación en los ojos.

Tragué saliva.

—Ahora hay cosas más importantes de las que preocuparse. Vamos.

Seguimos al tío Reid por el pasillo. Me quedé mirando cómo iba pasando por los diferentes aposentos, llamando a las puertas con rápidos toques con los nudillos. Lord y lady Dinnsmor salieron disparados de una de ellas, y la familia de Julien —los Kahtris—, de otra. Cuando estuvimos cerca de la escalera, lord Odvar, que tan amable había sido conmigo cuando se había enterado de que era la viuda de Silas, apareció con un montón de gente tras él. Al parecer, numerosas familias se habían puesto de acuerdo en un momento; de golpe, nos encontramos con que teníamos nuestro propio ejército.

Giramos la esquina justo en el momento en que Etan llegaba frente a los guardias. ¡Oh, qué guapo estaba!

—Tirad las armas —ordenó Etan.

—¡No, señor! ¡Esto es traición! —le increpó un guardia.

Etan sacudió la cabeza.

—Buen hombre, casi desearía que lo fuera. Lamentablemente, es el rey Quinten quien ha cometido alta traición. Ha matado a la familia de su majestad la reina y a la mía, ejecutando un crimen tras otro contra sus súbditos, tanto nobles como plebeyos. Tengo cartas escritas de su puño y letra con su sello que lo demuestran. Como heredero legítimo de esta corona, he venido a hacer justicia. Podéis deponer las armas y uniros a nosotros, o moriréis intentando detenerme en vano.

Sus palabras fueron precisas, no parecían admitir discusión.

Yo pensaba que alguno de los guardias cargaría, que se iniciaría una lucha. Sin embargo, en lugar de eso, uno de ellos dejó su lanza y se acercó en silencio a Etan para unirse a sus filas. Tras él lo hicieron otros tres. Poco a poco, todos fueron abandonando sus puestos. Los hombres que seguían a Etan lanzaron vítores y dieron la bienvenida a sus filas a los nuevos soldados. Ahora sí parecía que la última línea de defensa del rey Quinten había desaparecido.

Solté aire con un soplido tembloroso, aliviada e impresionada a la vez.

Etan hizo girar a su caballo y se dirigió a los que le seguían:

—Mis leales isoltanos, iré solo y traeré al rey Quinten aquí fuera, para que responda de las acusaciones ante vosotros, su pueblo, a quien debería estar entregado en cuerpo y alma. Espero que no se resista, que acepte resolver el asunto al aire libre, ya que tenéis derecho a conocer toda la verdad. ¡Si se niega, os exhorto a que luchéis, por Isolte!

La respuesta fue un rugido ensordecedor. Fue como si todo el país estuviera con él. Etan bajó de su caballo, y observé que sus ojos se iluminaban cuando su mirada se cruzó con la mía. Mientras subía, en aquel momento tan decisivo, se paró un instante a mirarme, buscando mi apoyo con la mirada. Y era evidente que lo tenía. Lo apoyaba con todo mi corazón.

—¡Hijo! —dijo el tío Reid, rompiendo el encanto.

—Padre, me han seguido —dijo, aún perplejo, agarrándolo de los hombros—. Han venido conmigo. Son muchísimos. Casi me parecen demasiados. No puedo creerme que lo hayan hecho.

El tío Reid apoyó su frente en la de Etan.

—Yo sí puedo. ¿Estás listo?

—Creo que sí... Me preocupa que no acceda a venir pacíficamente. Preferiría evitar una violencia innecesaria.

—No te preocupes, hijo mío. Él tampoco la querrá. Ya no.

Etan asintió.

—Quiero que estés a mi lado. Y Hollis también. Quiero que sepa quién ha propiciado su derrota.

—Por supuesto —dijo el tío Reid.

Etan se giró hacia mí.

—Estoy contigo —le aseguré—. Siempre.

Él sonrió y se giró hacia la escalera principal. Emprendió el ascenso, decidido, sabiendo perfectamente adónde se dirigía. Me había equivocado al pensar que los guardias del exterior eran los últimos. A medida que subíamos por la escalera, nos encontramos con más, pero al ver a Etan algunos dejaron caer sus armas, y otros salieron corriendo. Era evidente que ya habían visto la multitud en el exterior.

Nadie nos impediría el acceso a los aposentos del rey. Etan abrió la puerta de un empujón, con su espada —la espada de Jedreck— en ristre.

En el interior nos encontramos al rey Quinten sentado ante su escritorio, con la cabeza gacha, y a la princesa Phillipa de pie a su lado, agarrándose las manos y con un evidente gesto de preocupación en el rostro. Quinten levantó la vista tranquilamente: estaba claro que esperaba nuestra visita.

—Rey Quinten, quedáis detenido, acusado de brutales actos de traición contra vuestro pueblo. Estoy aquí para escoltaros hasta el exterior, donde responderéis de vuestros crímenes ante vuestros ciudadanos. Cuando os hayan condenado, tomaré posesión de vuestra corona, como legítimo heredero de Jedreck el Grande.

—El legítimo heredero es el príncipe Hadrian y sus descendientes —protestó Phillipa, con voz temblorosa.

Claro. Quinten no era el único al que había que quitar de en medio; también Hadrian y Phillipa. Y aunque estaba claro que Quinten era malvado, no podía decir lo mismo de Hadrian. En muchos sentidos, me daba pena. Pero ¿qué podíamos hacer al respecto?

Pero resultó que Quinten ya tenía la respuesta a aquel problema. Suspiró pesadamente, se frotó la frente y nos miró desde su silla:

—Afortunadamente para vosotros..., mi hijo murió esta misma mañana.

29

El tío Reid, Etan y yo nos quedamos inmóviles. Pese a nuestro triunfo, aquel era un duro golpe. El único pecado de Hadrian era ser hijo de Quinten. Es más, daba la impresión de que Quinten había quedado afectado. Quizá le doliera haber perdido la posibilidad de perpetuar su dinastía, pero por cómo tragaba saliva y evitaba mirarnos a los ojos dejaba claro que también le dolía la pérdida de su hijo.

—Pero…, pero… —intervino Phillipa, dirigiéndose a Quinten—… ahora mismo yo podría llevar a su hijo dentro.

—No lo llevas —replicó Etan, tajante—. Ya sabemos lo de vuestro ardid.

Ella apretó los labios en una mueca de rabia y se giró hacia Quinten.

—Me hiciste muchas promesas.

—Si fuiste lo suficientemente tonta como para creértelas, es problema tuyo, ¿no crees?

A Phillipa se le encendió el rostro, no de vergüenza, sino de rabia. Respiraba hinchando el pecho, exigiendo sin palabras la reparación de aquel agravio. Desgraciadamente para ella, aquello no iba a ocurrir.

—Ahora os pondréis en pie —ordenó Etan—. Y cogeréis vuestra corona. La gente de ahí fuera tiene que reconoceros, hasta los que están detrás de todo.

Quinten levantó una ceja.

—Debes de haber traído a un número impresionante de testigos.

—Testigos no —le corrigió Etan—. Un ejército. De hombres y mujeres, pobres y ricos, todos listos para haceros responder por fin de los crímenes que habéis cometido durante décadas.

Él no intentó negarlo; lo único que parecía molestarle era verse atrapado. Parecía que le pesaba la cabeza, tenía los hombros caídos. Se puso en pie y se acercó a la corona que descansaba sobre un cojín de color añil. Pasó los dedos por los bordes de oro, como si estuviera recordando todo su reinado en unos segundos. Ojalá pudiera decir que parecía apesadumbrado, arrepentido. Pero no. Se la puso en la cabeza y se giró hacia Etan.

—Juzgas muy rápido. Espera a ver qué haces cuando alguien te desafíe. Porque ahora no hay duda de que ocurrirá. Con lo que has hecho hoy has sentado un precedente. Y en cuanto muestres la mínima señal de debilidad, harán todo lo que puedan para derrocarte. Espero seguir con vida para ver cómo se vienen abajo esos principios tan elevados de los que haces gala hoy.

—Bueno, dado que no tengo ninguna intención de matar a mis propios súbditos, no creo que me encuentre nunca en el mismo caso que vos —respondió él, desafiante.

Quinten no se inmutó.

—Como he dicho, ya veremos.

—Vamos. Vuestro pueblo os espera —le apremió el tío Reid, saliendo tras el rey Quinten.

—¿Y ella qué? —pregunté yo, señalando a Phillipa con la cabeza.

Phillipa estaba absolutamente inmóvil, como si esperara fundirse con la piedra de la pared y pasar desapercibida.

Etan meneó la cabeza.

—Que se vaya a su casa e intente explicarles esto a su familia y a todo su reino. Ese será su castigo.

Ella tragó saliva, aunque no parecía que se sintiera aliviada. Me di la vuelta y salí caminando junto a Etan, mientras el tío Reid acompañaba al rey Quinten, unos pasos por delante.

—Esto no puedo decírselo a ellos —me susurró Etan, mientras caminábamos—, pero a ti sí: estoy aterrado.

—No tienes motivo. Te adoran.

Asintió, con gesto ausente, como si estuviera intentando convencerse a sí mismo.

—¿Estarás conmigo? Aunque odies las coronas, no huyas. Aún no.

Me acercó una mano temblorosa justo cuando llegábamos al final de la escalera. Se la cogí enseguida y se la apreté para reconfortarlo.

—Lo siento. Si vas a ponerte una corona, es el fin de nuestra amistad. Estaré en la última fila, lanzándote huevos podridos.

Él contuvo una risita y, cuando llegamos a la puerta principal, me soltó la mano. La multitud hacía mucho ruido, pero evité taparme los oídos. Etan se subió de un salto en una de las piedras cilíndricas de la entrada y levantó una mano para hacer callar al ejército que tenía delante.

Localicé a madre y a Scarlet allí cerca, e inmediatamente agarré a Scarlet de la mano, impaciente por ver el resultado de todo aquello por lo que habíamos trabajado tanto.

—Buena gente, acogiéndome a nuestras leyes, me presento hoy ante vosotros con pruebas que demuestran los actos de traición perpetrados por nuestro rey contra nuestros compatriotas.

Etan aireó un puñado de cartas.

—Estas cartas demuestran de modo irrefutable que nuestro rey ha ordenado el asesinato de numerosos isoltanos. Tenemos pruebas de los retorcidos trucos que ha desplegado para conservar el trono. Sus acciones le hacen indigno de volver a llevar la corona. La reina Valentina ha renunciado a la suya, y ha huido del país —añadió. Quinten le miró, perplejo—. Y he sido informado de que el príncipe Hadrian ha muerto esta misma mañana.

Se extendió un murmullo por entre los presentes.

—Como descendiente de Jedreck el Grande, me presento hoy ante vosotros para reclamar el trono de Isolte y para pedir vuestra bendición en el momento de arrebatárselo a este hombre indigno —dijo Etan, señalando a Quinten, que a mi entender ya había dejado de ser rey.

Los congregados lo vitorearon, contentos de dejar atrás años de puro terror. Cuando se calmaron los gritos, uno de ellos gritó: «¡Justicia para los Eastoffe!», y la gente volvió a gritar, enfervorecida.

En aquel momento, Quinten, que había mantenido la cabeza gacha mientras asimilaba la pérdida de su esposa, de su hijo y de su trono, todo a la vez, irguió el cuerpo y levantó una mano:

—Estoy dispuesto a reconocer que a lo largo de los años he cometido actos que algunos calificarían de criminales. Estoy seguro de que, muy pronto, tendré que responder ante un comité. Pero la sangre de los Eastoffe no ha manchado mis manos.

Con el simple contacto de la mano, sentí cómo se tensaba el cuerpo de Scarlet. Madre, por su parte, cogió aire y gritó:

—¡Mentiroso!

—No, no —insistió Quinten—. ¿La muerte de la familia de Valentina? Sí, era inevitable. Lord Erstwhell, lord Swithins…, toda una familia en la costa… He hecho que mataran a tanta gente para mantener la paz en mi corte que no puedo contarlos. Pero ¿sir Eastoffe? ¿El joven Silas? —Negó con la cabeza—. Eso no me lo podéis atribuir a mí.

Nos quedamos en silencio. Agarré con fuerza los anillos que llevaba colgados del cuello. Admitía sus crímenes con suma facilidad. ¿Por qué iba a negar uno más? A menos que estuviera diciendo la verdad…

—Si no lo hiciste tú, ¿quién lo hizo? —preguntó Scarlet, olvidando ya cualquier formalidad.

—Yo también tardé un tiempo en entenderlo —dijo Quinten. Pese a la cantidad de gente que teníamos delante, si en aquel momento hubiera caído un alfiler al suelo, lo habríamos oído: todos estábamos escuchando con la máxima atención, esperando descubrir la verdad sobre aquellas muertes—. Pero ahora todo encaja. Si queréis saberlo, deberíais preguntarle a ella.

Y me señaló con la barbilla, dejándome horrorizada, sin poder mover un músculo.

30

—¿Cómo te atreves? —grité, tan indignada que la cabeza casi me daba vueltas de la rabia—. ¡Yo quería a Silas! ¡No tengo nada que ver con su muerte!

—Por supuesto que sí, querida. Tienes todo que ver —replicó Quinten, sin alterarse lo más mínimo—. No me malinterpretes. Cuando supe que la dinastía de los Eastoffe estaba prácticamente extinguida, me sentí aliviado, pero no supe qué había ocurrido hasta que os presentasteis en mi palacio y me lo contasteis.

—Sigo sin entender —respondí, casi sin voz, temiéndome no poder controlar las lágrimas—. Yo no maté a Silas.

Él esbozó una sonrisa cruel.

—¿No se te ocurre nadie en este mundo que pudiera desear la muerte de ese chico más que yo?

La visión se me emborronó por los bordes y empezó a temblarme todo el cuerpo. Sí, claro. Se me ocurría alguien que podría querer la muerte de Silas Eastoffe.

—Jameson —murmuré.

En cuanto pronuncié esa palabra, la multitud reunida empezó a repetirla, pasándose la noticia de unos a otros hasta que todos lo supieron.

Por supuesto. Era Jameson. Eso explicaba muchas cosas. Que nadie en Isolte estuviera al corriente de la muerte de los Eastoffe. Que Jameson me hubiera enviado mi pensión de viudedad tan rápidamente.

—Oh —masculló Scarlet, que se llevó una mano a la boca y tembló—. Oh, Hollis. Tenía un anillo. —Me miró y vi que acababa de recordar con meridiana claridad otro fragmento de aquella escena—. El hombre que me agarró en Abicrest. Llevaba uno de esos anillos, como tu padre. Un anillo coroano. Ahora lo recuerdo. Y..., y... me dejó marchar —añadió, agarrándose del cabello, como si quisiera arrancárselo.

—¿Y qué?

—¡Me confundió contigo! —dijo, arrojando luz por fin sobre aquel misterio—. Se suponía que tú debías ser la única que saliera con vida.

Así que ese era el plan de Jameson. Se había enterado de lo de Silas y lo había eliminado —los había eliminado a todos— con la esperanza de que mi desesperación me llevara de nuevo a palacio. En cambio, me llevó a Isolte.

—Así que ya lo sabes —dijo Quinten, que parecía muy satisfecho consigo mismo. Sonrió con petulancia. Hasta en aquel momento de derrota conseguía mostrarse socarrón—. Qué curioso. Si los Eastoffe realmente eran ciudadanos coroanos, cabe pensar que Jameson es tan culpable como yo, ¿no? ¿También pensáis arrebatarle la corona a él? ¿Encerrarlo en las mazmorras?

Sentía que se me helaba la sangre en las venas, dejándome insensible. Jameson. Todo ese tiempo... había sido él.

—¡Silencio! —ordenó Etan—. Si el rey Jameson tiene que responder de sus delitos, ya nos encargaremos de eso cuando llegue el momento.

Me miró, claramente afectado al ver mi reacción: había sido traicionada por alguien que afirmaba quererme.

—Hoy estamos aquí para discutir de tus crímenes y tu corona. Acabas de admitir sin ningún reparo haber matado a la familia de su majestad la reina y a varios cortesanos, citándolos por su propio nombre. ¡Arrodíllate y entrega tu corona, ahora mismo!

Algún soldado impaciente gritó:

—¡Que le corten la cabeza!

Un segundo más tarde, la mayoría de los presentes le secundaron.

Quinten miró a Etan de refilón y levantó las manos para quitarse la corona de la cabeza. Se la entregó al tío Reid sin decir palabra, esperando el fatal desenlace.

La gente estaba sedienta de sangre, y no los culpaba. Quinten había nombrado a sus víctimas y había admitido que había muchos más. Pero yo me preguntaba adónde nos llevaría tanta violencia.

Volví a ver el miedo en los ojos de Etan. ¿Qué haría ahora? La corona estaba a medio camino entre su cabeza y la de Quinten, y su pueblo le exigía que reaccionara. Vi cómo desenfundaba la espada de Jedreck, sosteniéndola con un control perfecto. Esperaba que bajara de su pedestal y que matara a Quinten de un golpe limpio. No tenía dudas de que podía hacerlo.

Pero se giró y se situó frente al enorme ejército, sosteniendo la espada en el aire, pidiendo silencio.

—La ley exige que este hombre sea juzgado. Ninguno de los presentes somos aptos para hacer de jurado, así que formaremos uno con nobles de los países vecinos para darle el tratamiento más justo posible. Es más, muchos de estos asesinatos los ha ordenado él, pero los ha perpetrado el grupo que todos conocemos como Caballeros Oscuros. Necesitamos nombres, y solo él nos los puede dar. No nos dejaremos llevar por la ira, sobre todo porque sabemos que podemos hacerlo mejor. Cuando la gente hable de este momento, contarán que actuamos con justicia, y nada más. —Se giró hacia un puñado de guardias—. Llevadlo a las mazmorras; ya nos encargaremos de él cuando corresponda.

Habló con tal autoridad que si me hubiera dicho que la ley requería que hiciera algo en aquel momento, le habría creído. Y tenía un aspecto tan regio, tan principesco, subido en aquella piedra, con la espada en la mano, que nadie se atrevió a cuestionarlo.

—¿Hijo? —le dijo el tío Reid en voz baja. Etan se giró hacia él—. Es la hora.

Etan asintió y tragó saliva antes de bajar de la piedra de un salto. Me miró, y sus ojos seguían delatando su nerviosismo. Asentí levemente y sonreí, intentando animarle a que hiciera lo que tenía que hacer. Él flexionó una rodilla, con la espada aún en la mano, clavando la punta en el suelo y apoyándose en ella, como si fuera un bastón.

Levantó la vista, miró a su padre y luego agachó la cabeza.

—Etan Northcott, hijo de Reid Northcott, descendiente de Jedreck el Grande, ¿prometes que, como rey de Isolte, servirás y protegerás a tu pueblo?

—Lo prometo. Hasta la muerte.

El tío Reid apoyó la corona sobre la cabeza de Etan.

—Levantaos, rey Etan.

Se puso en pie, y por algún motivo parecía aún más alto. La multitud estalló en vítores. Etan respiró hondo un par de veces y volvió a subirse a la piedra para mirar a los presentes; cuando lo hizo, los vítores se volvieron aún más fuertes, ya que ahora todos, hasta los de más atrás, veían que llevaba la corona puesta.

—Mi p… —quiso decir Etan, pero tuvo que parar un momento a coger aire. Se llevó la mano al corazón; parecía emocionado—. Mi pueblo. Os agradezco vuestro apoyo. No puedo expresar la alegría que siento al saber que hoy hemos hecho justicia sin haber tenido que derramar ni una gota de sangre para conseguirlo. ¡Tenemos mucho que celebrar!

»A todos los que queráis quedaros, os invito a que lo hagáis. Abriremos los almacenes de palacio y celebraremos este día. Y a los que no podáis quedaros, os ruego que, por el camino de vuelta a vuestros hogares, difundáis la noticia de lo que ha ocurrido aquí y que transmitáis mis bendiciones a todos mis súbditos isoltanos.

Se repitieron los vítores y mucha gente entró en el recinto de palacio, distribuyéndose por el césped. Etan se vio rodeado de gente; prácticamente, no se creía que, uno tras otro, todos se acercaran a felicitarle.

Rey Etan. Le quedaba muy bien.

Entre todo aquel alboroto, no me costó nada tomar de las riendas a su caballo y abrirme paso por entre la marea de gente, avanzando contra corriente. La multitud no se dispersó hasta que no estuve bien lejos de los muros del palacio. Fue entonces cuando aproveché para subirme al caballo de Etan.

Cuando pensaba que Quinten había matado a mi marido, solo deseaba una cosa: mirarle a la cara y verle confesar sus pecados. Ahora sería Jameson quien tendría que hacerlo.

Espoleé el caballo y salimos rápidamente de allí.

31

Esperaba no equivocarme de camino. Una gran carretera salía de la ciudad; cuando se dividió en dos, supuse que el camino que iba al oeste viraría hacia el norte y me llevaría a Coroa. Estaba demasiado cegada por el dolor como para pensar en nada que no fuera llegar al castillo de Keresken.

Al irme de Coroa, Jameson me había dicho que volvería con él. ¿Sabía ya lo de Silas? ¿Lo sospechaba al menos? Estaba convencida de que lo de Silas había sido un secreto bien guardado hasta después de nuestra marcha. ¿Estaba ya dispuesto a prender fuego a cualquier otra cosa que apareciera en mi vida, para que solo me quedara la opción de volver con él?

Pensé en todas las otras personas que habían muerto víctimas de aquella farsa. Jameson sabía lo de los Caballeros Oscuros y había querido imitarlos para ocultar así sus terribles crímenes. Él quería que muriera Silas, y para ello mató a todos los invitados a nuestra boda. Madre se libró porque estábamos en el jardín, y Scarlet seguía viva solo porque mi tono de cabello se acercaba al clásico rubio isoltano. Seguí cabalgando con los ojos cubiertos de lágrimas. No sabía qué me aguardaba. No tenía ningún plan. Si acusaba a Jameson, ¿qué esperaba que ocurriera exactamente? Él no lo reconocería, pero yo ya no tenía dudas, ahora que había encajado todas las piezas. Y aun en el caso de que confesara ante mí, no le pasaría nada. A diferencia de Quinten, él no había actuado contra la mayoría de sus súbditos. Jameson era joven, tenía encanto y gozaba del cariño de su pueblo. Además, no había nadie que pudiera disputarle el trono, así que, aunque lo perdiera, eso solo empeoraría la situación de Coroa...

¿Qué estaba haciendo? Estaba indefensa. No llevaba conmigo ningún ejército ni ninguna prueba. Solo tenía la palabra de un rey depuesto y un caballo robado. Pero en lo más profundo de mi ser sabía que no volvería a estar en paz conmigo misma hasta que me presentara ante Jameson, le mirara a los ojos y le exigiera la verdad. Para bien o para mal, tenía que seguir adelante.

Continué cabalgando, observando lo rápido que se movía el sol y pensando en el viaje a palacio, una semana atrás, en aquel carruaje. Sentía algo parecido dentro de mí, como si estuviera acercándome cada vez más a lo que podía acabar conmigo. La diferencia era que entonces madre y Scarlet iban en otro carruaje por delante de mí. Y que tenía a Etan a mi lado.

¡Oh, Etan! ¡Las ganas que tenía de soltarle una patada en la espinilla cada vez que le veía! Al pensarlo, no pude evitar sonreír. Cómo discutíamos, cómo intentaba llevarle siempre la contraria. Ahora eso me iba a resultar más difícil. No es muy fácil llevar la contraria a un rey.

Lo haría muy bien. Contaba con sus padres para que le guiaran, y tenía un objetivo que alcanzar. Sabía dominar la rabia y era lo suficientemente listo como para dejar sin argumentos a cualquiera que se atreviera a desafiarlo.

Iba a ser un gran rey, sin duda.

Pensé en aquel hilo que salía de mi pecho y que me unía a Silas, que me unía a madre y a Scarlet. Aquel hilo había quedado ahora desmadejado a los pies de Etan Northcott;

estaba convencida de que nadie conseguiría hacer reaccionar mi corazón nunca más.

En cierto modo, quería vivir mi duelo: desde luego, aquello ponía fin a muchas cosas. Pero también estaba agradecida: por fin había hecho algo por mí misma. Me había construido una familia. Aunque no lo hubiera conseguido en Coroa, había contribuido a hacer justicia en Isolte. Había amado y había sido amada. Era más de lo que pensaba que sería capaz de hacer. Así que seguí cabalgando, hacia lo desconocido, con dudas en el corazón, pero con la cabeza bien alta.

¿Qué era eso?

Oí un retumbo, algo parecido a un trueno.

El cielo parecía despejado; cuando observé los campos que tenía delante, tampoco vi nada. ¿De dónde venía ese ruido? ¿Qué cra?

—¡Hollis!

Tiré de las riendas, haciendo frenar el caballo de golpe. Me giré, incrédula.

En el horizonte vi a Etan acercándose a toda velocidad, con la corona puesta y su ejército tras él.

Los ojos se me llenaron de lágrimas.

Había venido a por mí.

—¡Hollis!

Le hice una señal con el brazo, indicándole que le esperaba. Él levantó la mano, y el batallón de jinetes que tenía detrás frenó, pero él siguió hasta alcanzarme.

Se detuvo justo delante de mí. Nos miramos, subidos a nuestros caballos.

—Hola —dijo.

Me reí.

—Etan Northcott, tontorrón…

—Rey Tontorrón para ti, gracias.

—¿Qué estás haciendo aquí?

Él suspiró, mirándome como si fuera evidente.

—Es que mi más querida amiga, que suele demostrar ser muy inteligente, ha decidido salir a caballo de pronto, sola, para enfrentarse a un rey por algo de lo que indudablemente él es responsable y de lo que ella no tiene ninguna prueba. Sola. Y sospecho que, en realidad, no tiene ni idea de qué hará cuando llegue allí. ¡Ah! ¿Y he mencionado que va sola?

—Lo has mencionado.

—Ah, bien. Entonces ya entiendes por qué he tenido que venir.

Negué con la cabeza.

—No puedes venir conmigo a Coroa. Eres rey desde… ¿cuándo? ¿Hace unas horas? Vete a casa.

—Y tú no puedes ir a enfrentarte a Jameson sola —replicó—. Sé que te gusta montar numeritos, pero esto es demasiado, hasta para ti.

—¿Así es como vamos a llevar esto? —dije, poniendo los ojos en blanco—. ¿Te vas a dedicar a insultarme?

—Parece ser que si lo hago lo suficiente, acabas entrando en razón. Así que sí. Además, llevas el pelo hecho un asco.

—¿Qué? —pregunté, levantando la mano para tocármelo.

Sonrió, socarrón.

—Es broma. Tienes el aspecto de una diosa lanzándose a la batalla. Estás imponente.

Bajé la mano, meneé la cabeza y sonreí sin querer. Miré por encima de su hombro, en dirección al ejército que le seguía.

—No puedo pedirte que vengas conmigo. Tampoco puedo pedírselo a ellos. No es su lucha.

—No eres tú quien lo pides —dijo—. Yo ni siquiera se lo he pedido. Les anuncié adónde iba y…

Señaló con un gesto al batallón de hombres que tenía detrás.

—¿De verdad?

Asintió.

—Además, como viuda de un ciudadano isoltano, y dado que en cierto sentido formas parte de la familia real…

—Por los pelos. Ni siquiera hay relación de sangre.

—No, de sangre no. Pero te une a nosotros una hora de matrimonio. Sí, entiendo las circunstancias de tu llegada. Pero, aun así, eres súbdita mía. Y gozas de mi protección. Eres isoltana, Hollis. Y no dejaré que te enfrentes a tu enemigo sola. No dejaré que hagas nada sola.

Parpadeé para limpiarme las lágrimas. Aquellas palabras me habían llegado al corazón, y no quería que fuera tan evidente. Así que hice lo que siempre hacía con Etan: discutí.

—Recuerdo que había alguien que decía que nunca sería isoltana.

Él se encogió de hombros.

—Era más fácil que admitir que ya lo eras.

Nos quedamos allí un momento, mientras los caballos se movían, inquietos, mirándonos a los ojos.

—Voy a ir contigo, te guste o no. Tú eres coroana e isoltana, pero también lo eran mi tío y mis primos. Matar a tus propios súbditos es un acto perverso, y Jameson debería responder de sus actos.

Tragué saliva.

—Puede que no salgamos con vida.

—En ese caso, caeremos los dos. Y Scarlet será reina. Y yo seré más feliz en el momento de mi muerte que en toda mi vida.

Suspiré, estremecida.

—Bueno, pues buena suerte. A ver si puedes mantener el ritmo. Este caballo es muy rápido —dije, tirando de las riendas y echando a trotar.

—¡Eso es porque es mío! —protestó, levantando la mano para dar orden a su ejército de que se pusiera en marcha.

Cabalgamos sin decir palabra, Etan a mi lado y su ejército por detrás, no muy lejos. No me importaba el silencio; guardar silencio con Etan resultaba muy reconfortante. Dejé vagar la mente, analicé nuestras posibilidades. No dejaba de pensar en cómo dirigirme a Jameson. Si estaba tan desesperado por verme como aseguraba Quinten, sin duda me llevaría a algún lugar solitario, lejos de los ojos de la corte, para darme la bienvenida en privado. Entonces podría preguntarle por el ataque, quizás incluso mentir y decir que me sentía halagada de que hubiera podido hacer algo tan grande por mí. Si conseguía que confesara..., eso bastaría para presentar cargos contra él. Etan, como monarca de otro país, podría hacerlo.

Solo tenía que llegar hasta ese punto.

Pero la primera traba a mi plan se presentó en la frontera: una patrulla coroana, con enormes barricadas que se extendían por entre los árboles, que hacía imposible pasar la frontera sin que nos vieran.

—Tengo una idea —le dije a Etan, que asintió justo en el momento en que frenábamos los caballos.

Uno de los hombres se plantó frente a la barricada, mostrándome la palma de la mano para que me detuviera, aunque ya lo hubiera hecho.

—¿Qué significa esto? —preguntó, señalando a la multitud que nos seguía.

—Señor, me llamo Hollis East...

—¿Lady Hollis? —preguntó—. ¿Cómo es...? ¿Qué hacía usted en Isolte?

—Tenía un asunto urgente que atender, y regreso por otro igual de importante. El rey Quinten ha sido depuesto. El rey Etan, familiar de Quinten, ha accedido al trono esta misma mañana. Y dado que considera extremadamente importante la relación con Coroa, ha decidido venir a reunirse con el rey Jameson de inmediato. Debéis dejarnos pasar ahora mismo.

El guardia me miró a mí y luego a Etan, y se detuvo a observar la dorada corona que llevaba sobre la cabeza.

—Jameson querrá verlo —insistí.

El guardia mascculló algo.

—Él puede pasar, pero todo ese batallón no —dijo, señalando al ejército que nos seguía.

—Su majestad debe poder contar con unos cuantos hombres, por su seguridad. Sabe tan bien como yo que los isoltanos no siempre son bien recibidos. Y aún queda un buen trecho hasta el castillo de Keresken.

Él suspiró.

—Diez.

—Cien —contraataqué.

Él meneó la cabeza.

—No necesito regatear con usted, milady.

Yo levanté bien la cabeza, mostrando mi expresión más arrogante.

—Aun así lo está haciendo. Sin duda, es conocedor del lugar que ocupo en la vida del rey Jameson. Si viajo con alguien de Isolte, también yo necesito protección —rebatí, muy digna, con un tono pausado y decidido.

El guardia resopló.

—Veinte.

—Cincuenta.

Frunció el ceño.

—Que sean cincuenta, pues. Adelante.

Etan se acercó a sus hombres al trote y les habló en voz baja. Un grupo de cincuenta se separó del resto.

Rebasamos la frontera, pero una vez en territorio coroano me giré hacia todos aquellos hombres que no solo habían dado la cara por Etan esa mañana, sino que estaban ahí ahora, dándola por mí. Les lancé un beso, y ellos levantaron sus espadas al aire, en silencio.

Parecía que no tenían intención alguna de marcharse de allí hasta que regresáramos.

—¿Estás segura de que no tienes tú también ningún rey en tu árbol genealógico? —preguntó Etan.

—¿Qué? No. ¿Por qué me lo preguntas?

—Porque si no te conociera, al oírte habría hincado una rodilla en el suelo ahí atrás.

Sonrió y se adelantó para ponerse a la cabeza de sus hombres. Nos quedaba una última misión.

32

Atravesamos la campiña al galope, y no paramos hasta que vimos la imponente silueta del castillo de Keresken a lo lejos. Ahora lo veía todo diferente. El río en el que había perdido los zapatos me parecía un foso amenazante, la gente de la ciudad me parecían más conocidos entrometidos que amistosos aliados. Y ese castillo…

El lugar donde había vivido y me había divertido tanto, el lugar donde Delia Grace se había convertido en mi mejor amiga y donde me había enamorado de Silas, el lugar donde había bailado, dormido y abrigado esperanzas… me parecía una cárcel.

—¿Estás bien? —me preguntó Etan, sacándome de mis pensamientos.

Tragué saliva y asentí.

—Me da miedo volver a entrar ahí dentro.

—Oye —dijo, obligándome a mirarlo—, no vas a ir sola. Y si hemos podido enfrentarnos a un rey y la cosa ha acabado pacíficamente, no hay motivo por el que no podamos hacer lo mismo con otro.

Ojalá pudiera creerle. Pero ahora veía a Jameson tal como había visto siempre a Quinten: si era capaz de algo tan frío y tan cruel, ¿cómo podía confiar en que mostrara la mínima compasión conmigo?

Cruzamos el puente y emprendimos el sinuoso camino que ascendía hasta el castillo. Al ver avanzar a tantos hombres juntos, algunas tenderas de la calle principal agarraron a sus hijos de la mano y tiraron de ellos, metiéndolos dentro. Otras mujeres me miraban a la cara, como si quisieran asegurarse de que era yo, sin tener muy claro si realmente la que estaban viendo era la mujer que había dejado plantado a su rey.

Eché una mirada a Etan, que parecía perfectamente tranquilo, avanzando a caballo hacia Keresken con una mano en las riendas y la otra en la cadera, sin molestarse en girarse a mirar a sus hombres, porque estaba seguro de que le seguían. Tan seguro, tan tranquilo... Viéndolo así, yo también erguí la espalda. Dejamos atrás las calles de la ciudad y nos plantamos en la entrada del castillo. El espacio que, la noche en que nos escapamos Silas y yo, estaba lleno de carruajes ahora estaba vacío, salvo por dos soldados que montaban guardia ante la puerta, mientras otros dos lo hacían al borde del llano.

Se sorprendieron al vernos, por supuesto, y levantaron sus lanzas hacia nosotros.

—¡Alto! —gritaron.

—Os aseguro que vuestro rey deseará ver al nuevo rey de Isolte —dijo Etan, con la cabeza bien alta y la corona brillando a la luz de los últimos rayos del sol—. Apartaos. Tengo un mensaje urgente para su majestad. Y por si sois tan estúpidos como para desobedecer mi orden, ved que mis hombres os superan en número.

Al oír aquello, un escalofrío me recorrió la espalda. Observé a los guardias, que se miraban los unos a los otros, vacilantes. Hablaron entre ellos, murmurando, y luego uno dio un paso adelante.

—Los hombres tienen que quedarse aquí.

Etan asintió, y nos dejaron pasar. En cuanto rebasamos la puerta, Etan y yo desmontamos y atamos los caballos a un poste. Él acarició el morro a los dos caballos, se giró y se puso a mi lado, con la espalda muy recta. Me tendió el brazo y… me lo quedé mirando.

—¿Qué? Una dama necesita un acompañante. Y si va del brazo de un rey, pues mejor, ¿no? —dijo, recuperando ese tono petulante.

Suspiré, apoyé la mano en la suya y le hice una pregunta que odiaba hacer, pero que mi vanidad demandaba:

—No mientas. ¿Qué aspecto tengo?

Etan suavizó el gesto al instante.

—Estás absolutamente radiante. Como la luna —dijo, con voz tranquila—. Segura y decidida, iluminando a todo el que te rodea, y desesperadamente bella para los que aún ni se dan cuenta de que están a oscuras.

Me pasé las manos por el cabello, despeinado y enredado.

—¿De verdad?

—Absolutamente.

Cerré los ojos y me situé junto a Etan para hacer nuestra entrada en el castillo. Respiré hondo para intentar concentrarme. Sabía lo que tenía que decir, pero temía que no saliera bien. Iba a hacerlo lo mejor posible por ellos —por mis padres, por Silas, por todos esos inocentes presentes en la boda— o moriría en el intento.

—Por cierto —dijo Etan, cuando entramos en el majestuoso salón, entre el sonido de nuestras pisadas, que resonaban—. Sé que dije que no me acercaría nunca al altar, y sigo pensando que eres una mocosa insoportable…, pero te querré hasta el último latido de mi corazón.

Me miró a los ojos, sin titubear. Me quedé sin aliento por un segundo, pero tenía la respuesta pensada desde hacía tanto tiempo que me salió espontáneamente.

—Y yo sé que dije que no me acercaría nunca a una corona, y sigo creyendo que eres un presuntuoso..., pero yo también te querré hasta el final.

Entramos en el Gran Salón y nos encontramos con que todos estaban en plena cena. Había gente bailando en medio de la pista, chicas entrecruzando los brazos y dando vueltas, tal como habíamos hecho tantas veces con Delia Grace años atrás.

Y hablando de mi querida amiga, allí estaba, en la mesa presidencial, a la izquierda de Jameson. Iba cubierta de joyas; tantas que habría podido quedar atrapada bajo el peso de las piedras preciosas. Y se reía como no la había oído reír nunca, con cada cosa que decía Jameson.

Etan y yo entramos en el salón lentamente y nos paramos. La gente apenas tardó unos segundos en reconocer mi rostro y su corona. La conmoción se extendió desde el fondo del salón hasta el otro extremo. Los bailarines se hicieron a un lado, y unos cuantos dedos nos señalaron entre gestos de asombro. Al final, el revuelo fue tal que la música paró. Jameson por fin nos vio.

Se quedó mirando un momento, intentando comprender cómo podía ser que dos personas alteraran de aquel modo a todo un salón lleno de gente. Pero entonces su mirada se encontró con la mía y me escrutó de arriba abajo para estar seguro.

—¿Hollis? ¿Hollis Brite, eres tú?

Vi que toda la alegría se esfumaba de los ojos de Delia Grace de pronto; me sentí fatal porque fuera por mi culpa.

—Sabía que volverías a mí —dijo él en voz baja—. Sabía que al final volverías.

«Claro que lo sabías —pensé—. Lo organizaste todo para que así fuera.» La mano de Etan seguía debajo de la mía, y me acarició con el pulgar para infundirme ánimo. Respiré hondo y me separé de él.

—Majestad, querría presentaros a su majestad el rey Etan Northcott, de Isolte —dije, señalando a Etan.

Jameson abrió los ojos como platos, encantado.

—¿Me estás diciendo que el viejo ha muerto por fin? ¿Y también Hadrian?

—El príncipe Hadrian ha muerto esta mañana —le informé—. Y el antiguo rey ha sido depuesto por su pariente de mayor rango, y actualmente está en prisión, acusado de traición.

Jameson echó la cabeza atrás y se rio. Se rio.

—Aún mejor. Oh, majestad, sed bienvenido a mi corte. ¡Por favor, uníos a la fiesta! Haré que traigan platos y sillas. Celebraremos la visita del nuevo rey de Isolte y el regreso de mi querida Hollis.

Jameson chasqueó los dedos para ordenar a los criados que se pusieran manos a la obra. Sin embargo, yo levanté una mano y, sorprendida, vi que Jameson se quedaba inmóvil. Me miró, atónito.

—Antes que nada, debo hablar con vos —declaré—. Hay ciertas acciones que exigen respuesta. No habrá celebración entre nosotros porque no hay paz entre nosotros. Y no me sentaré a la mesa con vos en tales circunstancias.

Él chasqueó la lengua y ladeó la cabeza.

—Hollis Brite —dijo con voz dulce—, te he proporcionado alimento y vestidos. He ordenado a súbditos y foráneos que te traten como una reina. He permitido que tu cabeza plebeya luciera joyas reales. —Su voz iba ganando volumen a medida que hablaba—. Y cuando rechazaste mis atenciones, cuando me dijiste que querías marcharte, te dejé ir sin presentar la mínima objeción. ¡¿En qué te basas para afirmar que no te he dado otra cosa que no sea paz?!

—¿Debo decirlo? —le espeté, apartándome de Etan, aunque notaba que él me seguía—. ¿Debo decirle a tu corte lo que eres realmente?

—¿Y qué es lo que soy?

—¡Un asesino! —grité, con tanta fuerza que sentí que las piedras de la pared temblaban.

Se creó un silencio tenso, estridente. Sentía que todos los presentes nos miraban alternativamente a Jameson y a mí, impacientes por ver cómo acabaría aquello.

—¿Cómo has dicho? —preguntó con naturalidad.

Y lo repetí, con la voz firme:

—Eres un asesino, Jameson Barclay. Puedes llevar una corona sobre la cabeza, pero eres tan inmundo como cualquier delincuente de poca monta. Y deberías estar de rodillas, aplastado por el peso de tu vergüenza.

Alguien cerca de mí tragó saliva.

Un instante más tarde, la mirada gélida de Jameson se suavizó. Me sonrió.

—Mi querida Hollis, viendo tu aspecto, deduzco que has tenido un día traumático. No sé qué es lo que crees…

—Yo no creo nada. Sé que ordenaste la muerte de Silas Eastoffe. Y la de mis padres. Sé que fueron tus hombres los que se presentaron en mi boda, y que tienes las manos manchadas con la sangre de tu propio pueblo.

A mi lado, Etan respiraba lentamente.

Jameson volvió a ladear la cabeza.

—En honor al gran amor que he sentido por ti, estoy dispuesto a olvidar esas falsas acusaciones. Pero te advierto: una mentira más y no seré tan generoso.

—No… son… mentiras —insistí, sin inmutarme.

—¿Qué pruebas tienes? —preguntó, abriendo los brazos—. Apuesto a que yo tengo muchas más pruebas incriminatorias en tu contra que tú contra mí.

Señaló a uno de los sacerdotes, que estaba de pie junto a la puerta que daba a sus aposentos.

—Traedme el pergamino con el sello dorado que tengo

en mi escritorio —dijo Jameson, que al instante clavó la mirada en mí, y luego en Etan—. Y también mi espada.

—Fuiste el único en todo Coroa o Isolte que se declaró conocedor de sus muertes y de mi viudedad —proseguí, haciendo caso omiso a su pequeño espectáculo—. Porque eras el único que lo sabía. La única persona que salió viva de aquella sala fue mi cuñada, Scarlet. Y fue así solo porque mi cabello se acerca más al rubio isoltano que al castaño coroano. Los hombres que mataron a nuestros invitados llevaban anillos plateados, los anillos de la nobleza coroana. Probablemente, los asesinos de mi familia se encuentren en este mismo salón.

Empezaba a temblarme la voz; la rabia y el dolor se combinaban con algo tan grande que me costaba mantener el control.

—Respira —me susurró Etan.

Lo hice.

—Todo eso es circunstancial, Hollis. No demuestra nada —dijo él, tranquilamente, como si hubiera sabido desde el principio que llegaría este día y tuviera preparado el discurso—. Si alguien aquí tiene motivo para presentar cargos, soy yo. Y si alguien aquí ha roto la ley, eres tú. Porque yo, a diferencia de ti, tengo las cosas por escrito. Tengo pruebas de que tú, mi querida dama, no deberías haberte casado nunca…, pues ya estabas casada conmigo.

33

Una serie de expresiones de sorpresa contenida recorrieron la sala, pero ni me inmuté, ya que sabía que no era más que una gran mentira. Un segundo más tarde reapareció el sacerdote; llevaba dos cosas en la mano. La primera era un pergamino enrollado con un sello dorado. La segunda era una espada. Pero no era una de las muchas de la enorme colección de Jameson. Esta tenía la hoja dorada y piedras preciosas engastadas en el mango.

Pretendía amenazarme con algo hecho personalmente por Silas.

—¿Sabes qué es esto? —preguntó Jameson, mostrándome el pergamino con una sonrisa burlona en el rostro.

Yo no sabía qué responder.

Tras un breve silencio rompió el sello dorado y lo abrió, y desenrolló el documento, que era largo y contenía varias firmas.

—Hollis, nada más iniciar nuestro noviazgo, quise que fueras mi esposa. Sabía que serías mía. Pero estabas muy verde, y tuve claro que tardaría tiempo en conseguir que la gente te viera como te veía yo. —Se rio—. ¡Mírate ahora, en cambio! Aun en ese estado, pareces hecha para el trono, con ese porte regio, reluciente como el sol.

—Yo no soy el sol —mascullé, pero él no me hizo ni caso.

—Tenías que ser mía. Sin embargo, como la ley nos obligaba a esperar, adapté la ley a mis necesidades. Y tus padres fueron lo suficientemente amables como para colaborar.

El corazón se me detuvo de golpe. No. No podían haber hecho eso.

—Estoy seguro de que desde ahí no podrás ver la fecha del documento —dijo Jameson—. Pero si miramos bien... aquí... —Señaló una línea—. Vaya, ¿qué dice ahí? Oh, es la fecha del Día de la Coronación.

—¿Qué es eso, Hollis? —me preguntó Etan en voz baja.

—Un contrato. Mis padres acordaron mi compromiso. Son pactos formales, complicados, y el único que puede anularlos es el rey —respondí, mirando a Etan y sintiéndome absolutamente derrotada—. Según ese papel, estoy casada con él. Llevo casada con él desde la noche en que hui.

—Ahí lo tienes, Hollis —dijo Jameson por fin—. Eres mía. Y ahora tendrás que responder ante la ley. Y ocuparás tu lugar a mi lado..., como, desde el principio, dije que harías.

Se giró hacia Delia Grace, que había estado allí todo ese tiempo, en silencio. Y al ver que seguía sentada, agarrando con fuerza los brazos de su butaca, completamente atónita, le dijo:

—Te puedes ir.

Ya había visto cómo la degradaban repetidamente a lo largo de los años, pero ver aquella humillación pública hizo que, sin darme cuenta, sintiera una profunda vergüenza ajena. Para bien o para mal, Delia Grace había sido mi única compañera durante casi toda mi vida, y nos unía un cariño incondicional. Se levantó de su asiento, llorando en silencio, hizo una reverencia y se dirigió a un lateral de la sala. En un acto inesperado de bondad, Nora salió a su encuentro y la recibió con los brazos abiertos: la abrazó en cuanto bajó del estrado.

Delia Grace se quedó allí, de cara a la pared, entre los brazos de Nora, intentando ocultar su rostro a la multitud.

—Cuando quieras, Hollis —dijo él, señalando el espacio que quedaba libre a su lado.

Y ahí estaba yo, recibiendo la orden de ocupar mi espacio al lado del rey. Seguro que mis padres estaban muy orgullosos de sí mismos por lo que habían conseguido para su única hija. Por supuesto que habían reaccionado con rabia cuando me había negado a volver con ellos al palacio. Ahora todo encajaba. ¿Qué otra cosa iban a hacer?

—Muévete, mujer.

Oí que Etan soltaba un gruñido entre dientes.

—¡Te estoy dando una orden, Hollis Brite!

Y fue aquello, oír que por tercera vez se negaba a llamarme por mi nombre de casada, lo que me hizo reaccionar. Miré a los ojos a aquel hombre malvado y levanté bien la cabeza.

—Resulta que ahora me llamo Hollis Eastoffe y que soy ciudadana de Isolte. No puedes darme órdenes. ¡Nunca he sido tuya… y nunca lo seré!

Jameson estaba de pie, solo tras aquella enorme mesa presidencial.

—Hollis, quiero ser un buen marido para ti. Generoso, amable. Pero con tu actitud no estás poniendo las cosas fáciles para que nuestro matrimonio sea feliz.

—¡Yo no quiero ser tu esposa! —grité.

—¡Pues ya lo eres! —replicó él, con las venas del cuello y de las sienes hinchadas, al tiempo que daba un puñetazo sobre la mesa y sobre el pergamino—. Así que te sugiero que te comportes.

—¿Y si se niega, sin más? —preguntó Etan, sin alterarse—. Como rey, puedo ofrecer protección en mi corte a esta dama, una protección que parece que no va a tener en la vuestra.

—¿Y tú quién eres para hablarme así? —preguntó Jameson.

Etan no se dejó intimidar y respondió:

—Os lo acabo de decir: el soberano del país vecino. Y si el modo en que os habéis quitado de encima a esa joven dama —dijo, señalando con un gesto de la cabeza a Delia Grace— es un ejemplo de cómo tratáis a las mujeres en vuestra corte, ahora mismo me llevaré a lady Hollis Eastoffe conmigo.

Jameson levantó su espada —la espada de Silas— y apuntó con ella a Etan.

—¿Me quieres dejar por ese usurpador? —gritó.

—Te dejaría por cualquier desgraciado —respondí, iracunda—. No eres más que un cobarde asesino, y nunca seré tu esposa.

Él se subió a su silla:

—¡Ya está hecho! ¡No puedes hacer nada al respecto! ¡No puedes enfrentarte a mí! —insistió, y se subió a la mesa, dispuesto a lanzarse contra Etan y contra mí.

Etan desenvainó su espada, pero eso no cambió nada. Pese a que ocurrió en cuestión de segundos, tuve la impresión de que todo discurría a cámara lenta.

Jameson, preso de la rabia y la impaciencia, perdió apoyo en el momento en que iba a saltar desde la mesa. Trastabilló y su espada dorada cayó al suelo. La hoja brilló, reflejando los rayos del sol de la tarde, y solo pude pensar en lo preciosa que era la creación de Silas, incluso en ese momento, en que caía rebotando por el suelo. El puño de la espada impactó contra el suelo y la punta quedó orientada en dirección a Jameson. Y en el momento en que él caía del entarimado, de ese estrado desde el que podía ver a todos sus súbditos a sus pies, la hoja le atravesó. Vi cómo penetraba en su cuerpo y supe que no había ya modo de salvarlo, así que giré el rostro, buscando refugio en el pecho de Etan. Pese a todo el dolor que Jameson había causado, no quería presenciar más muertes. Me quedé allí un momento, deseando poder cerrar los oídos para no oír los gritos de los invitados y los ruidos agónicos de Jameson. Cuando se hizo por fin el silencio, me giré.

Jameson estaba tendido en el suelo, en un charco de sangre, con el pecho atravesado por una espada dorada.

Un sacerdote se le acercó y le colocó una mano bajo la nariz para ver si respiraba. Al ver que no era así, se puso en pie.

—El rey está muerto —declaró—. Larga vida a la reina.

Me quedé paralizada, atónita al ver como todos los nobles presentes en la sala me miraban.

34

Etan, a mi lado, también hincó una rodilla en el suelo. Me besó la mano, luego se la llevó a la sien y murmuró:

—Majestad.

Sentí un temblor que me recorría el cuerpo, desde la punta de los pies hasta la punta del cabello.

En un momento me encontré rodeada de sacerdotes, y vi que los guardias hacían salir a los cortesanos del Gran Salón. Muchos se cubrían el rostro para no ver el cadáver, y muchos otros se susurraban cosas, intentando comprender todo lo que había pasado en tan poco tiempo.

—Majestad, debéis venir con nosotros. Tenemos mucho de lo que hablar —me dijo uno de los sacerdotes.

Se referían a mí. Yo era la majestad. Aspiré con fuerza y cogí aire. Oficialmente, yo era la esposa de Jameson. Y como esposa oficial del rey, era reina, por lo que, dado que él no tenía herederos, la corona debía pasar a mí. Pero de todos los finales posibles que había imaginado para aquel día, ninguno se acercaba lo más mínimo a ese, y no podía hacerme a la idea de que ahora era la dueña del reino.

Aún no era capaz de reaccionar, pero asentí. Me giré hacia Etan, con la esperanza de que él viniera conmigo.

—Lo siento, Hollis. No creo que estos caballeros quieran que un rey extranjero participe en la discusión de asuntos de Estado con su nueva reina. Además…, tengo mi propio reino que atender.

—Pero…

No. No había peros. Tenía razón. Me cogió la mano y se la llevó a los labios una vez más.

—Cuando las cosas se hayan calmado, hablaremos. Pero debes saber que siempre tendrás un aliado en Isolte.

¿Cómo iba a dejar que se fuera? Después de todo lo que habíamos pasado juntos, después de lo que nos habíamos dicho por fin, ¿cómo se suponía que iba a pasar ni que fuera un minuto sin él?

—Etan… No puedo…

—Sí, sí que puedes. Fíjate en todo lo que has hecho ya —dijo, intentando tranquilizarme—. Ve. Haz lo que debas. Aunque yo no esté, no estás sola en esto. Tienes mi apoyo, el apoyo de Isolte. A mi regreso les hablaré a todos de tu nuevo reino, y te escribiré en cuanto pueda.

Seguíamos cogidos de la mano. Estaba esperando.

Tenía que ser yo quien soltara la suya.

La apreté una vez más y retiré las manos. Tuve que hacer un gran esfuerzo para no llorar delante de él. Insinué una reverencia y él bajó la cabeza en señal de respeto.

Y acto seguido salió del salón, del castillo, de mi vida.

—Majestad —me apremió el sacerdote—, por favor, venid conmigo. Tengo que contaros muchas cosas. A solas.

—Espero que un día puedas perdonarme por mi papel en todo esto —dijo Langston, el sacerdote—. Todos os debemos nuestra más sincera disculpa.

Volví a coger el papel y lo leí, incrédula. La carta, escrita a mano por Jameson, detallaba el lugar y el día en que iba a celebrarse mi boda, y describía la misión que les había encargado. Estaba equivocada al pensar que los asesinos de mi familia podían estar en el Gran Salón. Había escogido a nobles que conservaran su buen nombre, pero que hubieran perdido su fortuna, hombres con cuya lealtad podía contar, y que estuvieran necesitados de dinero. La suma que les había pagado a cada uno de ellos —también detallada en la carta— debía bastar para sacar a toda la familia de la miseria.

—No habría tenido que cursar estos papeles. Pero me pareció que era mi deber obedecer a mi rey. Sospechaba lo que contendrían, aunque no estaba seguro. Me guardé una de las cartas, por si acaso. Cuando me enteré de lo que le había ocurrido a vuestro esposo, rompí el sello y la leí. Entonces supe que un día sería una prueba fundamental en el proceso contra el rey. La oculté, rezando para que nadie la encontrara, a menos que se tratara de alguien capaz de arreglar las cosas. Así que ahora debo pediros permiso para iniciar el proceso y hacer justicia, aunque acabe costándome la vida.

Tardé un momento en darme cuenta de que esperaba a que yo hablara. Me aclaré la garganta, intentando pensar.

—Por lo que me contó mi hermana Scarlet, algunos de estos hombres murieron y quedaron calcinados. Eso ya es suficiente castigo para sus familias. Tendremos que buscar al resto para interrogarlos. Salvo el último, al que no le hiciste llegar esta carta.

Él asintió.

—En cuanto a ti, sé de primera mano lo persuasivo que puede llegar a ser Jameson. Y estabas cumpliendo con tu deber, tal como has dicho. Quiero que esos hombres capaces de matar a sus compatriotas comparezcan ante la justicia, pero, por lo demás, preferiría no remover más el asunto.

Él bajó la cabeza.

—Eso es muy generoso por vuestra parte, majestad.

Meneé la cabeza, confundida.

—¿Es necesario que me llames así? Yo no nací entre la realeza; no me siento nada a gusto con ese tratamiento.

Él sacó los libros de leyes y, una vez más, el documento que habían firmado mis padres.

—Su majestad era el último de su dinastía. No tiene ningún pariente conocido, ningún heredero legítimo al trono..., salvo vos. Quizá no en la práctica, pero sobre el papel erais su esposa. No puedo obligaros a aceptar la corona, nadie puede, pero debo rogaros que consideréis lo que puede pasar si no lo hacéis. Nos arriesgamos a que estalle una guerra civil, cuando algún usurpador pretenda hacerse con el trono. Y si no hay ningún líder, los países vecinos podrían intentar invadir nuestro territorio. Podríamos perder Coroa.

Me puse en pie y me dirigí hacia la ventana, pensando en aquello. Mi madre solía decir que para tomar una decisión lo mejor era esperar a que fuera de día. Ahora no tenía esa posibilidad. La luna asomaba en el horizonte. Tendría que conformarme con ella.

¿Qué era lo que había dicho Etan de la luna? ¿Que reflejaba la luz? ¿Que era una guía para los que no sabían que estaban a oscuras? Fuera lo que fuese, lo que había dicho era muy bonito.

¿Podría ser yo algo así? ¿Podría ser una guía? ¿Una luz?

¿Podría dirigir Coroa?

Adoraba muchas cosas de mi vida. Adoraba mi libertad. Adoraba a mi familia. Adoraba bailar y que la gente viera mis vestidos. Adoraba haber ganado una hermana. Y había amado con locura a Silas. Y a Etan.

Algunos de aquellos amores eran mucho menos profundos que otros, pero la idea de poner todo lo que tan importante era o había sido para mí en segundo lugar, detrás de Coroa..., era aterrador.

Si decía que sí, le cerraría la puerta a muchas cosas, a mil posibilidades de futuro. Significaba servir a mi pueblo, humildad, pasarme la vida reparando injusticias.

Y decir que no implicaría poner en peligro a Coroa.

Me había dado miedo regresar, pero ahora me daba cuenta de que en gran parte ese miedo se debía a Jameson. Y él ya no existía. Sin él, solo podía pensar que tenía que proteger aquella tierra, la tierra cuyas fronteras trazó la reina Honovi con sus besos, la que la reina Albrade protegió a caballo.

No podía dejar Coroa a su suerte, correr el riesgo de que cayera en manos de alguien que quisiera acabar con ella o borrarla del mapa. No, no dejaría que ocurriera algo así.

Cuando me giré, el sacerdote seguía allí de pie, con la corona de Estus en las manos.

Y yo me arrodillé.

TRES MESES MÁS TARDE

35

Rodeé la mesa por segunda vez.

—No, no. —Señalé las flores en el centro—. En Isolte, estas flores se usan para el duelo. Cambiadlas. Creo que eso es todo.

—Sí, majestad —dijo el criado al momento—. ¿Y el menú?

—Cuenta con mi aprobación. Si tenéis más preguntas, podéis planteárselas directamente a mi ayudante de cámara.

Los mayordomos y los criados hicieron todos una reverencia, completando los últimos detalles. Solo quedaba una cosa por resolver, y debía estar lista antes de que acabara el día. Si es que todos se ponían manos a la obra, claro.

Salí de la sala donde habíamos estado haciendo los preparativos y me dirigí al pasillo central del castillo. A diferencia de los reyes que me habían precedido, prefería trabajar donde pudiera ver a mi pueblo.

La gente fue bajando la cabeza y haciéndome reverencias a medida que pasaba hacia el patio. Tal como esperaba, todas las jovencitas estaban preparando un gran baile, y Nora las coreografiaba. Nunca había visto un baile tan complejo; estaba segura de que causaría sensación.

Nora me pilló observando y, con la mirada, me preguntó qué me parecía. Yo sonreí y asentí, satisfecha. La verdad es que era muy bonito.

Había sido idea suya que las chicas hicieran algo juntas,

y lo agradecía. Seguro que nosotras también habríamos sido mucho más felices si a esas edades hubiéramos intentado crear algo juntas, en lugar de tener la impresión de que debíamos competir constantemente.

Mientras observaba, hipnotizada por el giro de los vestidos, se acercó un criado.

—El correo de la mañana, majestad.

—Gracias…, Andrews, ¿verdad?

—Sí, majestad —respondió él, sonriendo, y se fue enseguida.

Eché un vistazo rápido a las cartas para ver qué era lo que había llegado. Las primeras eran de nobles del reino, y antes de responderles tendría que reunirme con el Consejo de Gobierno. Pero las últimas tres no iban dirigidas a la reina, sino a Hollis… Mm, bueno, quizás una sí fuera dirigida a la reina.

Me agazapé, apoyando la espalda contra el interior de un murete, y me puse a leer de inmediato:

> Majestad:
>
> Os agradará saber que esta mañana ha quedado ocupado el último puesto de profesor. Ahora tenemos instructores adecuados para todas las materias. Desde la semana pasada, tenemos estudiantes asignados a cada una de las habitaciones del Varinger Hall, así que la semana que viene podremos empezar el programa de cursos que trazasteis. El personal lleva días enteros preparándose, y aunque no es el trabajo para el que se nos contrató, todos estamos encantados de volver a ser útiles otra vez y de ver la casa llena de vida nuevamente.
>
> La primera chica ha llegado esta semana. Es una de los tres huérfanos que vamos a tener. Al principio, era muy tímida, pero las criadas la han adoptado, como si fuera un gatito, y estoy segura de que en cuanto se encuentre con sus compañeros de clase perderá la timidez.

La finca está en buenas manos. Yo superviso los terrenos y la casa, y la directora de estudios que escogisteis es una mujer muy razonable y organizada. Confío en que si un día venís a visitarnos, algo que todos esperamos fervientemente, quedaréis satisfecha con vuestra escuela. Os mantendremos informada de cualquier asunto que surja en cuanto nos pongamos en marcha, pero tengo grandes esperanzas puestas en el futuro de este proyecto.

Es una idea brillante, majestad. Un día, Coroa estará llena de escuelas como esta, y los futuros ciudadanos os lo agradecerán.

Rezamos por vuestra salud y por vuestro reinado. Venid a visitarnos pronto.

Vuestra humilde servidora,

HESTER

Por fin aquella casa enorme serviría para algo. No estaba segura de que la idea del internado para niños del campo fuera a funcionar, pero no lo sabríamos hasta que no lo intentáramos. No pretendía ser una heroína en la guerra, ni la salvadora de innumerables enfermos…, pero podía hacer pequeñas cosas buenas de vez en cuando, y esperaba que, cuando mi reinado llegara a su fin, la gente se acordara de eso.

Pasé a la segunda carta.

Majestad:

Hollis:

Me está gustando mucho la vida en Great Perine. El aire no es tan suave como en Coroa, pero huele a especias, y la belleza y el misterio de este lugar despierta mi curiosidad a diario. Me gusta la sensación de haberme alejado de todo, de ser una desconocida en un lugar nuevo. He conocido a mucha gente nueva y he contado la gran historia de tu ascenso al trono a todo el mundo. Me atrevería a decir que eres la reina más famosa de nuestros tiempos.

Y hablando de la corte, ¿cómo van las cosas por ahí? Recuerdo que mencionaste una docena de ideas nuevas antes de que yo me fuera. ¿Ya las has podido poner en práctica? Recuerdo que había quien quería emparejarte con Hagan. ¿Ya os habéis prometido? ¿O has encontrado a alguien que sea más de tu gusto? Parece que tu reinado ha empezado con buen pie, Hollis. Sé que te gusta ponerte a prueba. Creo que dejarás huella en nuestro país, solo es cuestión de tiempo. Estoy convencida. Lo espero.

Con todo eso, solo quería decirte que me ha encantado estudiar aquí, en Great Perine, y aprender literatura, filosofía y arte. Muchas veces he pensado que debería acabar haciendo de este lugar mi vida. No estoy muy segura de poder soportar nunca más las miradas compasivas de la corte del castillo de Keresken, o ver cómo me juzga la gente. Y, aun así, la idea de quedarme lejos para siempre hace que sienta una presión en el corazón. ¿Te sentías así tú también cuando estabas en Isolte? ¿Qué es lo que tendrá el lugar al que llamamos «casa», que ejerce su atracción incluso cuando las cosas no siempre han ido bien?

Quizás el mes próximo venga de visita, a ver cómo te va con tus grandes planes. Quizás entonces, cuando vuelva a atravesar de nuevo los resplandecientes salones de Keresken, sea capaz de decidir cuál es mi lugar.

Sé que estás mucho más ocupada que cualquier otra persona en este continente, pero, cuando encuentres tiempo, escríbeme, por favor, y cuéntame tus numerosas aventuras. No veo la hora de tener noticias tuyas. Te mando todo mi cariño y mi devoción.

Tu súbdita,

Delia Grace

Leer aquella carta era como respirar hondo. Aunque habíamos hablado muchas veces antes de que decidiera marcharse, tenía la sensación de que el castillo nunca sería el mismo hasta que volviera a mi lado. Desde luego, su situación no iba a causar tanto revuelo, teniendo en cuenta la mía, así que no tenía que preocuparse por las miradas de la gente cada vez que entrara en un salón. Pero me preguntaba si, en realidad, una parte de ella no desearía atraer todas esas miradas… y sentirse a la altura.

Quizá no llegara a saberlo nunca. Esperaba que sí.

Respiré hondo y rompí el sello de la última carta.

> Majestad:
>
> Os escribo para deciros que llegaremos hacia el mediodía de mañana, jueves 17. Prometemos no montar ningún número ni tomaros el pelo. Bueno, puede que un poco sí, pero no demasiado. Esta vez no.
>
> Etan Rex

Sonreí. *Rex*. ¡Qué elegante! Como soberana, quizá yo también debería adoptarlo. Aunque no el plural mayestático, que le echaría en cara despiadadamente en cuanto llegara a palacio. Me llevé la carta a la nariz. El papel olía a Isolte y, si me concentraba, también conseguía percibir el olor de Etan.

Estaba de camino… y seguía haciendo bromas conmigo. Pasara lo que pasase, al menos nos quedaba eso.

Pero estaba claro que no tenía ni un momento para distraerme. Enseguida apareció mi asistente de cámara, caminando a toda prisa.

—Valentina, ¿qué sucede?

Estaba radiante.

—Ya está, majestad.

Solté un suspiro de felicidad.

—Perfecto.

36

Me senté frente al tocador, en los aposentos del rey —bueno, ahora de la reina—, y Valentina me dio un último repaso. Mi corona tenía zafiros engastados, el rubí del anillo de madre brillaba, luminoso, y.... ¿las alianzas de boda? Bueno, estaban en un lugar seguro, para que pudiera verlas cada vez que quisiera. Si había llegado hasta allí, tanto Jameson como Silas tenían mucho que ver, pero los pasos que diera a partir de ahora serían solo míos. Así que hoy quería estar perfecta.

Con lo que había vivido, Valentina estaba aún más atenta a cada pequeño detalle que Delia Grace, y ocupaba su lugar a mi lado con gran naturalidad. Es más, confiábamos plenamente la una en la otra, mientras que con Delia Grace habíamos tenido nuestros altibajos.

—Valentina, me siento un poco tonta por no habértelo preguntado antes, pero... ¿te sientes cómoda mostrándote en público así, ahora que ya no eres reina?

—Muchísimo —dijo ella, poniendo una cara divertida—. Soy mucho más feliz siendo súbdita tuya que siendo reina.

—¿Así que no lo echas de menos? ¿Tampoco te afecta estar lejos de Isolte?

Ella arrugó la nariz un momento, pensativa.

—No. El hogar de cada persona es el lugar donde acaba sintiéndose bien. Y yo he construido aquí el mío.

—Te has portado muy bien conmigo —le dije—. Algún día tengo que encontrar el modo de agradecértelo.

Ella negó con la cabeza, serena y decidida.

—Tú me rescataste. El rey Etan me rescató. Este es mi modo de agradeceroslo. —Dio un paso atrás y echó un vistazo a su obra—. Ya estás. Preciosa.

—No lo reconocería delante de nadie más, pero estoy muy nerviosa.

—Con la buena relación que habéis tenido en el pasado, es imposible que esta reunión vaya mal.

Tragué saliva, pensando que, precisamente por lo intenso de nuestra relación pasada, esa podría ser la reunión más difícil de mi reinado.

Valentina llamó a la puerta con los nudillos, y los guardias la abrieron. La atravesé, con ella cogiéndome la cola del vestido, y observé a los presentes. Junto al estrado me esperaba Hagan, con el brazo tendido. Hagan era lo que Valentina llamaba un «espécimen perfecto». Era alto, tenía la nariz puntiaguda y el cabello castaño oscuro. Sus anchos hombros hacían que cualquier cosa que se pusiera le quedara impecable y, sobre todo, pertenecía a una de las familias más antiguas de Coroa. En los días en que mi madre intentaba aprovechar lo que pensaba que sería una breve relación con Jameson para conseguir un enlace con alguna otra familia noble, no había considerado siquiera a Hagan. Era demasiado bueno para mí.

—Buenos días, majestad —me saludó, con una sonrisa afable en el rostro—. ¡Qué modelo más interesante! Estáis preciosa.

—Gracias —dije, intentando controlar la respiración, mientras avanzábamos y nos situábamos frente a la multitud.

Ahí estaba mi trono, y había otro para Etan. Hagan iba

a sentarse a mi derecha, y a la izquierda de Etan había otra silla para Ayanna. Por lo que había oído, Etan había recibido presiones para que encontrara pareja lo antes posible. Ambos estábamos en una situación parecida: nuestras respectivas familias acababan con nosotros.

Eché una mirada a Valentina, preguntándole con la mirada si aún tenía buen aspecto. Como si hubiera podido cambiar algo en los últimos tres minutos. Ella asintió, y yo junté las manos frente al vientre, esperando que con ello se me calmara el estómago, pero al hacerlo noté el anillo. Bajé la mirada y observé el regalo de madre, la herencia de Jedrek. En sus numerosas cartas, Etan nunca me lo había pedido, pero ahora que era reina de Coroa y que, por tanto, no podía ser ciudadana de Isolte, quizá debiera devolvérselo. Era solo uno de los numerosos detalles que debíamos resolver durante esta visita.

Sonaron las cornetas que anunciaban su llegada, y sentí que el corazón me daba un salto en el pecho. Etan estaba ahí. Estábamos respirando el mismo aire. Recorrí con la mirada el camino que se había formado en el centro del Gran Salón, y probablemente se me notara lo desesperada que estaba por ver otra vez su rostro.

Lo primero que vi fue su zapato. Solo hizo falta un zapato para que me pusiera nerviosísima. Llevaba el cabello algo más corto, pero el flequillo seguía cayéndole por la frente, amenazando con taparle un ojo. Se había dejado crecer una barba corta, y le quedaba estupenda, rodeando esa sonrisa que apareció de pronto en su rostro.

Meneé la cabeza. No habría tenido que sorprenderme que pensáramos lo mismo.

Aunque los miembros de su séquito vestían decenas de tonos de azul, la casaca de Etan era roja. Era como una llamarada en plena noche. ¿Y yo? Yo había escogido el vestido más azul que tenía, y me había decorado el cabello con toques plateados. Para él.

Etan se acercó e hizo una reverencia. En ese momento vi a la menuda joven que tenía al lado, con el cabello recogido en un elaborado peinado en forma de remolino y un rostro angelical.

Por un momento olvidé mi posición, y le devolví la reverencia, de forma algo precipitada. Suspiré. Ya estaba cometiendo errores. Bajé de la tarima, con los brazos abiertos, y él me cogió de las manos con gran alegría.

—¿Esto es lo mejor que tenías? —preguntó, tocándome el cuello del vestido—. Pareces un caniche.

—Tú, por tu parte, supongo que habrás perdido el equipaje por el camino, con toda tu ropa, y por eso llevas esta manta para caballos, ¿no?

—La tengo para casos de emergencia —respondió, conteniendo una risa.

Sonreí y miré más allá.

—Queridos amigos —dije, elevando el volumen—, gracias por venir. Soy consciente de que esta reunión se ha producido mucho antes de lo esperado. Agradezco vuestra disposición para visitarnos, así como vuestro apoyo, incluso desde la distancia. Algunos de vosotros cabalgasteis conmigo hasta este palacio para protegerme, algo que no he olvidado. Por favor, sentíos como en casa. Sois muy bienvenidos.

Se oyeron unos aplausos de reconocimiento. Etan me cogió de la mano y subimos al estrado, donde me esperaba Hagan, y recordé que ese era el brazo del que debía sujetarme.

—Majestad, permitid que os presente a sir Hagan Kaltratt. Él me acompañará durante vuestra visita.

—Es un placer conoceros, señor —dijo Etan, tendiéndole la mano—. Espero que tengamos ocasión de charlar.

Hagan le estrechó la mano.

—Me encantaría. He oído que se os dan muy bien las justas. Os agradecería cualquier consejo que tengáis a bien darme.

Etan se rio.

—Me temo que solo he ganado un torneo. Y tuve suerte. —Me miró—. Mucha suerte. Pero podemos volver al campo de justas cuando queráis, si os apetece.

—Excelente.

Etan cogió la mano de la joven que le acompañaba, para que se acercara.

—Majestad, quiero presentaros a lady Ayanna Routhand. Es una de las damas más brillantes de la corte de Isolte, y no ve la hora de que le deis alguna clase de danza.

—¿Es eso cierto? —dije, mirándola.

La chica asintió.

—Vuestra suegra me ha contado todas vuestras aventuras. Y lady Scarlet habla de los bailes que habíais preparado juntas.

—¿Están aquí? —pregunté, agarrando a Etan del brazo.

—Todavía no. Llegan esta noche —respondió él, con una sonrisa divertida en el rostro.

—¿Y tus padres? —dije, haciendo un esfuerzo para no llamarlos «tíos».

—Están ocupándose de todo en mi ausencia, pero te mandan todo su cariño, como siempre.

No podía contener mi alegría. Etan estaba ahí, y madre y Scarlet llegarían muy pronto. Hasta aquel momento no me percaté de lo mucho que las había echado de menos, pero en cuanto me di cuenta de la situación, me sentí aliviada. Sin embargo, teníamos que ponernos manos a la obra, así que le indiqué a Etan que se sentara conmigo. Hagan, haciendo gala de su habitual caballerosidad, se dirigió a Ayanna y se la llevó para presentarle a algunas de las familias más influyentes de la corte.

—Es dulce —dije yo.

—Sí, es dulce, tiene muchas ganas de aprender... Mi padre ha dado su aprobación, que ya es algo.

—¿Y la tía Jovana?

Etan hizo una mueca.

—Ella no le tiene tanto afecto a Ayanna.

—Estoy segura de que es solo cuestión de tiempo.

—Supongo —respondió, pero había algo en su gesto que me decía que no lo veía muy probable—. ¿Qué es todo eso? —preguntó, señalando a la pared. Junto a los ventanales que recreaban momentos de la historia de Coroa había una cortina tendida—. ¿Se ha roto algún cristal?

—No, no se ha roto. He hecho que instalaran una nueva ventana. Levantaremos la cortina al atardecer. La luz debería ser perfecta.

—Eso tú lo sabes mejor que nadie.

Etan sonrió y me acompañó hasta los tronos. Una vez sentados, adoptó un gesto mucho más serio.

—¿Qué tal te va, Hollis? Cuéntame la verdad.

Tragué saliva.

—Pues bien, supongo... No sé con qué compararlo. A diferencia de lo que te sucede a ti, yo no nací rodeada de realeza, así que, por desconocimiento, sin querer, ya he infringido la ley dos veces. Los sacerdotes han tenido que celebrar un servicio de una semana de oración por mí.

—Bueno, si hay alguien por quien podrían rezar, soy yo...

Le di un cachete, sonriendo al ver que, aunque estaba diferente, al mismo tiempo era justo como yo lo recordaba.

—Cada vez se me da mejor, pero siempre ando temiendo meter la pata. Antes, si me equivocaba, las consecuencias solo me afectaban a mí misma, o quizás a un puñado de personas a mi alrededor, pero ahora podrían afectar a muchísima gente, Etan. Y eso me partiría el corazón.

—Pues escríbeme —dijo, apoyando su mano sobre la mía;

al sentir su contacto, me estremecí—. Yo no lo sé todo, pero tengo mucha experiencia. Te ayudaré.

Me lo quedé mirando, con la cabeza ladeada.

—Tú tienes que ocuparte de tu país. Que además es el doble de grande que el mío. No puedes dejar de lado lo que estés haciendo para ayudarme a mí.

—Sabes que lo haría —susurró—. Haría..., haría mucho más, si pudiera.

—Lo sé —respondí, después de tragar saliva—. Yo también. —Bajé la voz—. No puedo creerme que no pensara en lo que significaría esto para los dos.

Él se encogió de hombros.

—Yo tampoco. En un primer momento, simplemente me alegré por ti. Viendo que te convertías en reina.

—Si hubiera sido consciente, nunca habría...

—Sí, sí que lo habrías hecho —dijo él—. Te habrías hecho cargo de la corona sin pensártelo dos veces, porque, a pesar de lo que pensara yo en un primer momento, eres mucho más que una pieza decorativa. Eres valiente, posiblemente hasta el punto de la irresponsabilidad.

Al oír aquello, no pude evitar reírme.

—Y eres generosa. Leal en todo momento... Son muchas cosas, Hollis. Cosas que ojalá hubiera podido ver antes.

Aparté la mirada. Toda la alegría que me había rodeado se estaba disipando. Yo pensaba que me reconfortaría ver a Etan después de tanto tiempo..., ahora me preguntaba hasta qué punto podría soportarlo.

—Yo creo que, por el bien de los dos, esta reunión debería ser la última que tengamos en persona.

Cuando me atreví a levantar la vista y a mirarlo de nuevo, me pareció que Etan estaba casi a punto de llorar.

—Supongo que tienes razón. No sé si podría hacer esto el resto de mi vida.

Asentí.

—Estoy algo cansada. Me voy a retirar un rato. Pero hay muchas cosas que quiero preguntarte esta tarde, acuerdos que tenemos pendientes. Creo que podemos hacer muchas cosas buenas juntos. Yo siempre llevaré a Isolte en el corazón.

Él sonrió, con una sonrisa hermosa, pero melancólica.

—Y mi corazón siempre estará unido a Coroa.

Tragué saliva. Ni siquiera tuve fuerzas para decir adiós. Me puse en pie e hice una mínima reverencia antes de retirarme a mis aposentos lo más rápido que pude sin que pareciera que estaba ofendida, o algo así.

No cerré la puerta a mis espaldas. Valentina entró enseguida detrás de mí, seguida de dos de los sacerdotes. Solían seguirme de cerca, como mi sombra. La mayoría del tiempo no me importaba. Estaba tan necesitada de ayuda que agradecía que hubiera alguien para ayudarme. Pero ahora mismo no tenía tan claro que fuera así.

—¿Majestad? —preguntó Valentina, al ver cómo me venía abajo entre sollozos.

—No puedo hacer esto —dije—. Le quiero muchísimo, Valentina. ¿Cómo voy a vivir sin él?

—No es justo —apuntó ella en voz más baja, mientras me abrazaba—. Demasiada gente tiene que vivir sin la persona a la que ama. Tú misma, cuentas con todos los recursos del mundo, y pese a todo eso no puedes hacerlo. Lo sé, Hollis, es una crueldad. Y lo siento.

—¿Majestad? —intervino Langston—. No os habrá ofendido, ¿verdad?

Negué con la cabeza, llorando. ¿Cómo podía explicarle lo que mis más allegados ya sabían, que mi dolor era todo cosa mía?

Me agarré con fuerza a Valentina. Me sentía una tonta por haber aceptado la corona y jurado el cargo antes de darme cuenta de que eso significaba perder a Etan para siempre, antes de reparar en que el hecho de que los dos fuéramos soberanos significaba que Etan y yo entregaríamos nuestra vida a nuestros respectivos países, y que no había escapatoria.

Los sacerdotes no tenían claro qué hacer con una mujer que no paraba de llorar. Más de una vez ya habían metido la pata, de modo que en esta ocasión optaron por guardar silencio.

—Majestad —dijo Langston—, por si os sirve de algo, lo sentimos. Cuando os fuisteis, pensamos que sabíamos lo que era el desamor. Jameson estaba inconsolable. Aun así, nunca le vimos venirse abajo. Estaba furioso, déspota, rabioso…, aunque nunca lo vimos así. —Se acercó y bajó la voz—. Pero sabemos lo fuerte que sois. Y que vuestro pueblo os adora. Lo superaréis.

Asentí y respondí entre lágrimas:

—Por supuesto que sí. Mis disculpas. Descansaré un poco y estaré lista para nuestra reunión de la tarde. Tenemos muchos asuntos que resolver, y no os fallaré.

Los sacerdotes hicieron una reverencia y salieron de la estancia, cerrando la puerta tras ellos.

—Ven —dijo Valentina—. Llora ahora todo lo que tengas que llorar. No quiero que nadie vea esas lágrimas más tarde.

—Si alguien me entiende, eres tú.

—Claro que te entiendo —respondió, abrazándome más fuerte—. Y no dejaré que te hundas, Hollis.

Pero lo más triste era que ya estaba hundida. Tan hundida que no veía el modo de volver a la superficie.

37

—Me temo que tengo una lista bastante larga —le advertí a Etan, mientras rodeaba la gran mesa de mi nuevo despacho.

Los sacerdotes estaban de pie ante sus propios escritorios, con sus libros, sus pergaminos y otros documentos, por si alguien necesitaba confirmar algún dato. Ayanna y Hagan estaban sentados uno junto al otro, susurrándose preguntas y respuestas, como buenos prometidos nuestros.

—Yo también —respondió Etan, colocando unos cuantos papeles sobre la gran mesa que teníamos delante—. Las damas primero.

Sonreí.

—Bueno, incluso antes de que fuera reina, ya envidiaba los avances médicos de Isolte. Me gustaría lanzar algún tipo de programa con el que los ciudadanos coroanos interesados en la medicina pudieran estudiar en Isolte. Por supuesto, sería un número limitado, y habría que superar un proceso de selección; no quiero enviaros un batallón de estudiantes. ¿Verías con buenos ojos algo así?

Él se lo pensó un momento.

—¿Por qué no envío yo a algunos de nuestros médicos más brillantes a Coroa? Quizá podríamos hacer cursos itinerantes, por dos o tres regiones de Coroa. Tú sabrás dónde podrían ser más útiles.

Parpadeé, sorprendida.

—Eso sería increíblemente generoso por tu parte. De primeras, se me ocurre que querría organizar algo aquí, donde hay mayor densidad de población y más gente que pueda necesitar cuidados, y algo en las zonas más pobres, donde es más difícil recibirlos. Una vez que tengamos formados a unos cuantos, ellos podrían encargarse de la enseñanza, y vuestros médicos podrían regresar a casa.

—Apunta que tenemos que buscar a diez médicos que deseen venir a enseñar la profesión en Coroa. Contarán con alojamiento y paga.

Uno de sus criados tomó nota.

—Gracias —dije, levantando la cabeza, satisfecha—. Eso ha resultado fácil. Es tu turno. ¿Qué es lo que más deseas tú?

Él se giró y me miró prolongadamente. Desde luego no había elegido las mejores palabras. Esa era una pregunta que ninguno de los dos podíamos responder sinceramente. Oí que Hagan se aclaraba la garganta y decidí no pensar más en ello.

Etan sacó un gran pergamino.

—Este es el proyecto que más me interesa de todos. —Abrió el rollo de papel, colocando dos pesos en los bordes, dejando a la vista un mapa del continente. Fruncí los párpados y pasé los dedos por el mapa—. No sé si lo entiendo.

Señaló una tenue línea roja que marcaba la frontera entre Coroa e Isolte.

—Cuando le dijiste a Quinten que debía ceder esas tierras, sin más, pensé que era una de las mejores ideas que he oído nunca. Tras el reciente derrocamiento de los antiguos soberanos —añadió, lanzándome una mirada intencionada—, no he vuelto a tener noticia de escaramuza alguna por la frontera. Parece que la gente tiene otras cosas de las que ocuparse. Pero antes de que reaparezcan las hostilidades, quiero cortarlas de cuajo. Sugiero una nueva frontera, cediendo estos dos territorios a Coroa.

Hizo una marca junto a la línea roja, y vi que suponía un ligero desvío hacia el terreno de Isolte; no era una gran pérdida, teniendo en cuenta el total de su superficie, pero lo cambiaba todo.

Me incliné en dirección a Etan, susurrando:

—Observo que, hasta ahora, todo es en beneficio mío.

—Es todo lo que puedo hacer, Hollis. Por favor, no me detengas.

Tragué saliva. Esta vez fue Ayanna quien carraspeó.

Intenté ocultarlo, intenté que no se notara que todo mi mundo giraba alrededor de aquella sonrisa. Estaba convencida de que cada centímetro de mi rostro me delataba; por mucho que lo intentara, no podía hacer nada al respecto. Me giré a mirar disimuladamente a la prometida de Etan. Tenía la sensación de que tanto ella como Hagan estarían encantados cuando esta visita acabara.

—Muy bien. De acuerdo —dije en voz baja.

—Oh, asombroso. Has aprendido a aceptar sugerencias. No veo la hora de escribir a mi madre para contárselo.

—¿Escribir? ¿Así que por fin te has aprendido el alfabeto? Debe de estar muy orgullosa de ti.

Las conversaciones sobre comercio y carreteras duraron horas, y la verdad es que no entendía por qué los que habían ocupado nuestros cargos antes habían hecho que todo fuera tan difícil. Aunque Etan y yo no analizamos cada cosa a fondo, cosa que hacía que los expertos en leyes tuvieran que poner objeciones de vez en cuando, todo fue como una seda.

Afrontar aquellas conversaciones convencida de que el rey vecino no pretendía perjudicarme, y sabiendo que él estaba convencido de que su reina vecina no pretendía perjudicarle a él, lo cambiaba todo.

Cuando uno decide afrontar una negociación sin pensar que todos somos enemigos, las cosas cambian.

Llegó un momento en que Etan se frotó la frente:

—Creo que deberíamos dejarlo por hoy. Podemos dejar aquí todos los papeles y seguir mañana, si queréis.

Asentí.

—Y creo que han organizado un baile para esta noche, así que necesito descansar un poco antes.

—Bueno, vos no tenéis que bailar, majestad —apuntó Hagan—. Estoy seguro de que las otras damas de la corte estarán encantadas de entretener a nuestros invitados en vuestro lugar.

Ayanna se puso en pie.

—Un grupo de damas de Isolte ha coreografiado una pieza para vos. Es un regalo. No será nada extraordinario, estoy segura, pero…

—¡No, no! —dije yo, sonriendo y girándome hacia Etan—. Qué detalle. Estoy impaciente por verlo.

—Ha sido todo idea suya —dijo él, complacido.

Me gustó que Ayanna se hubiera mostrado tan atenta. Etan necesitaba a alguien que fuera considerada con él, con los demás.

—Caballeros, ¿nos excusarán? Me gustaría enseñarle los jardines a lady Ayanna —propuse.

Ella sonrió y abrió los ojos, sorprendida. Soltó aire lentamente, como si tuviera que prepararse para pasar un rato a solas conmigo.

—Ven, Ayanna —le dije, ofreciéndole mi brazo—. Te van a encantar las flores.

Salimos, y fui señalándole los diferentes detalles de nuestra arquitectura y mostrándole los diversos rincones del castillo, de mi hogar.

Había pasado mucho tiempo sin que supiera bien cuál era

mi hogar. Pero ahora tenía claro que era Keresken, ¿no? Debía serlo. Era el lugar donde dormía, donde comía, donde gobernaba. Aun así, intuía que si Etan Northcott no estaba bajo el mismo techo que yo, ningún lugar me parecería un hogar.

—Bueno, ¿de qué queríais hablar? —dijo Ayanna, rompiendo el hielo—. Estoy segura de que no me habéis traído hasta aquí solo para mirar las flores.

—Bueno, he pensado que estaría bien conocerte. Estoy segura de que mantendremos correspondencia a lo largo de los años, aunque no volvamos a vernos.

—¿Es que… tenéis pensado que no volvamos a vernos?

—Es poco probable —respondí, sin hacer caso a su evidente reacción de alivio—. Pero háblame de ti. ¿Cómo conociste a Etan?

Ella sonrió, recordando.

—Mis padres nos presentaron. El día de la boda de Hadrian estaba indispuesta, así que no pude conoceros; tampoco pude ver a su majestad cuando ganó el torneo, ni cuando volvió a Isolte con su ejército. Después de todo aquello, cuando me recuperé, fuimos a Chetwin para pagar nuestros tributos y jurar nuestra lealtad al rey. Desde entonces vivo en el castillo, así que hemos podido pasar mucho tiempo juntos —dijo, y se encogió de hombros tímidamente—. ¿Cómo conocisteis vos a su majestad?

Solté una risita.

—Bueno, fue aquí, en el Gran Salón. Se metió conmigo, y yo le repliqué. No podíamos haber empezado mejor.

—¿De verdad? —dijo ella, riéndose—. Nunca he visto a Etan metiéndose con nadie.

Puse los ojos en blanco.

—Pues tienes suerte. Parece que nosotros nos comunicamos buscándonos las cosquillas mutuamente.

Ayanna se paró y me soltó el brazo.

—Entonces…, ¿cómo puede ser…? ¿Por qué se os ve tan contentos cuando estáis en la misma estancia?

Estaba segura de que me había puesto roja, pero seguí negando la evidencia.

—Es como de la familia. Estuve casada con su…

—No, ya conozco la historia —me interrumpió—. Pero lleva sonriendo una semana. Y en ese despacho no paraba de alargar la mano, con cualquier excusa, para tocar la vuestra. Así que si os pasáis la vida discutiendo, ¿por qué parece como si…? —No pudo acabar la frase—. Puedo afrontarlo, ¿sabéis? Si tengo que perderlo, lo soportaré; pero necesito que alguien me diga la verdad.

Ahí estaba uno de esos momentos que tanto me temía. Habría querido decirle que dejara de luchar por él, que si me decidía a hacerlo, tenía la batalla ganada. Pero no podía. No podía luchar por Etan ni perder el tiempo odiando a aquella chica.

Ayanna era la única que podía dedicarse a él en mi lugar, así que mi única opción era ser sincera y brindarle todo mi cariño. Tenía que ser su máxima defensora. La miré a los ojos y le cogí ambos brazos.

—Lo cierto es que para mí no hay nadie más importante en el mundo. No quiero ser cruel y mentirte. Pero Coroa es la prioridad. Juré servir a mi país, y no puedo abandonar el trono. Me pasa como a Etan: no hay quien pueda sustituirme. Así que no debes tener miedo. Yo estoy aquí, y él está allí. Cuando acabe este viaje, lo más probable es que no vuelvas a verme la cara.

Ella bajó la mirada y luego observó el jardín. Aún había flores, pero se acercaba el otoño. Muy pronto la naturaleza iniciaría su letargo.

—Decíais que Etan siempre quedará relegado a un segundo lugar, después de Coroa. Pero yo siempre estaré en segundo lugar, detrás de vos —se lamentó.

—No —negué—. Compartimos momentos muy intensos, cosa que forjó una amistad más profunda que la mayoría. Pero nuestros caminos se separarán, y él se casará contigo. Con el tiempo, las cosas serán diferentes, te lo prometo.

No era la conversación que había esperado mantener con ella. Yo solo quería conocerla mejor. Pero sabía cuál era mi lugar en este mundo, y la vida me había colocado a mí en un rincón y a Etan en otro. Si podía conseguir al menos que su prometida afrontara el futuro con confianza, estaba dispuesta a hacerlo.

—¿Y qué hay de Hagan? —me preguntó—. Parece un hombre encantador.

Volví a agarrarla del brazo y seguimos adelante. Si continuábamos caminando, quizá las cosas se arreglaran solas, de algún modo.

—Lo es. Es perfecto, la verdad. Guapo, considerado, siempre pendiente de mí... No creo que haya ningún otro hombre de Coroa más indicado para ser mi consorte —dije, escogiendo la palabra con cuidado, aunque no estaba muy segura de que se hubiera dado cuenta—. Hagan será mi príncipe. Tú serás la reina de Etan. Y quiero pensar que podemos llegar a ser amigas.

Ella ladeó la cabeza y me miró.

—¿De verdad?

Asentí.

—De verdad.

Esbozó una sonrisa tímida y frágil. No era mala chica. En cierto modo, las cosas habrían sido mucho más fáciles si lo fuera.

—¿Alguna vez has hecho una corona de flores? —le pregunté—. Venga, vamos a hacerte una para esta noche.

38

Gracias a Silas, había aprendido muchas cosas. Había aprendido lo que era el amor. Había aprendido que lo divertido puede ir de la mano de las cosas serias. Y en un aspecto más práctico, había aprendido todas las cosas que se pueden hacer con metal.

—Esto es muy bonito —comentó Nora—. ¿De dónde has sacado una pluma de oro?

Sonreí, observando mi imagen en el espejo.

—Oh, la tengo desde hace tiempo.

Aprovechando los espacios que quedaban entre las barbas, mi costurera no tuvo problemas para pasar un hilo dorado por en medio y fijarla al frontal de mi vestido, donde creaba unos reflejos deslumbrantes. Seguro que habría quien pensara que era algo ostentoso, pero, ya que no podía salir ahí y decirle a Etan lo mucho que le echaba de menos, al menos le demostraría de algún modo que lo llevaba junto al corazón en todo momento.

Había optado otra vez por el color dorado, ya tradicional en mí. No estaba completamente segura, pero me daba la impresión de que a Etan le gustaba que llevara ese color. Y aunque lo indicado era que luciera mi corona, la decoré con flores del jardín, de modo que pudiera ser Hollis y la reina al mismo tiempo. Esa noche, el acto sería algo menos formal, y quería que se marchara de Coroa con una imagen que pudiese recordar, deparara lo que deparase el destino. Y, sin duda, afrontábamos muchas cosas diferentes. Dos países distintos, dos bodas inevitables, y años de gobierno en países vecinos, pero, aun así, con el mínimo contacto.

Ya habíamos sobrevivido a muchas cosas. Podríamos sobrevivir a esto.

Cuando entré en el Gran Salón, la cena ya había empezado.

Dos hombres de Isolte me salieron al paso y se inclinaron, apoyando la rodilla en el suelo.

—Majestad, no sé si os acordaréis de nosotros, pero acompañamos al rey Etan cuando vinisteis a plantar cara al rey Jameson. Sabemos que vuestra actuación ha sido clave para que tengamos por fin un rey justo, y nos alegra ver que Coroa tiene una gran reina. Queríamos presentaros nuestros respetos.

Bajaron la cabeza, con una humildad que consideraba inmerecida.

—Caballeros, ese día arriesgasteis vuestras vidas más de una vez. Soy yo quien debería daros las gracias a vosotros.

—Oh, no, señora —respondió uno de ellos con vehemencia—. Todos hemos oído hablar de vuestra valentía. Su majestad habla maravillas de vos.

Me reí.

—Bueno, sé lo difícil que es obtener halagos del rey, así que me lo tomaré como un gran cumplido. Por favor, levantaos, caballeros, y disfrutad de la velada. Espero que os sintáis como en casa.

Ambos se pusieron en pie, con una extraña expresión en el rostro.

—He estado en Coroa muchísimas veces, y nunca me he sentido tan en casa. Debo atribuirlo a que ahora el país tiene una reina justa y generosa —dijo el que había guardado silencio hasta entonces, señalando con la mano en dirección al resto de la sala.

—Gracias, caballeros. Me alegra mucho oír eso.

Ambos volvieron a asentir y se unieron a la fiesta.

En cuanto se retiraron, Hagan vino a mi encuentro y se puso a caminar dos pasos por detrás de mí, como un patito tras mamá pato. No pude evitar pararme un momento para observarlo.

Era todo lo que le había dicho a Ayanna: atento, guapo... Y sería un buen padre, eso era evidente. No tenía una gran ambición ni pedía nada para él. Tampoco parecía que le molestara tener una esposa de rango superior al suyo... Era todo lo que podía desear.

—Mirad lo bien que está yendo todo, majestad —dijo, paseando la mirada por el salón.

Seguí su mirada con la mía, y tuve que admitir que tenía razón.

La última vez que se habían encontrado gente de Coroa y de Isolte en el castillo, había habido enfrentamientos y se respiraba un ambiente de desconfianza. Ahora veía a gente vestida de azul brindando con gente vestida de rojo, gente de cabello oscuro dando palmadas en la espalda a otros con el cabello rubio cada vez que alguien gastaba una broma. Era una imagen de gran... felicidad.

Estaba tan perdida en mis pensamientos que apenas me di cuenta de que alguien se había situado justo delante de mí.

—Majestad...

Me giré para ver a la persona que me saludaba con una reverencia, pero sin dejar de mirarme, y me eché a llorar al momento.

—¡Madre! —exclamé, lanzándome a sus brazos.

Vaya, cuánto necesitaba aquello. Necesitaba a alguien que

me abrazara y que me cuidara como solo ella podía hacerlo. Necesitaba a alguien que me quisiera.

—¡Ahora me toca a mí!

Levanté la mirada y vi a Scarlet esperando su turno. Pasé directamente de un abrazo a otro.

—Te he echado muchísimo de menos.

—No tanto como yo.

Me abrazaron las dos, allí, en medio del Gran Salón; por primera vez desde hacía semanas, me sentí completa. Sabía que tendrían que volver a Isolte, que no podía retenerlas. Pero, por el momento, en esa ocasión, contaba con mi familia.

—Siento que hayamos llegado tan tarde —se disculpó Scarlet—. Su majestad nos ha dejado tareas pendientes en la corte, y hemos tenido algún problemilla. Etan se ha portado tan bien con nosotras que no queríamos fallarle.

Justo detrás de Scarlet vi a Julien, que me saludó insinuando una reverencia. Se le veía pletórico. Me sentí encantada al ver que seguían juntos.

—¿Qué tal le va a Etan? —le pregunté a Scarlet, cogiéndola de la mano—. Cuéntame lo que él no me contaría.

Scarlet sonrió. Sonrió abiertamente. Volví a ver en ella aquella jovencita que había bailado en mis aposentos tanto tiempo atrás.

—Lo está haciendo muy bien. No tienes nada de lo que preocuparte. Ha emprendido la búsqueda de los que participaron con los Caballeros Oscuros, y está limpiando la ciudad y los alrededores del castillo. Cada día se presenta con una nueva idea para mejorar la vida en Isolte. La gente lo ha acogido con los brazos abiertos, y por fin somos un país de paz.

Dejé caer los hombros, aliviada.

—Gracias a Dios. Entonces, no puedo pedir más.

O quizá sí.

—Si las damas me permiten...

Un escalofrío me recorrió la espalda al oír esa voz, una voz que reconocería en cualquier circunstancia. Me giré... y allí estaba Etan.

—Si me disculpáis la osadía de separaros de vuestra familia, creo que vos y yo deberíamos dar ejemplo, majestad —dijo, tendiéndome la mano.

A su lado estaba Ayanna, que sonreía, con la cabeza ladeada, indicándome que no había problema. Miré a Hagan, que levantó las manos y sonrió, con un gesto que decía: «¿Quién soy yo para llevarle la contraria a un rey?».

—Muy bien —respondí, accediendo con un suspiro.

Me llevó al centro del salón, y las parejas que ya estaban en la pista nos hicieron espacio. Una vez allí, cara a cara, observé que me miraba fijamente, haciendo justo lo que estaba haciendo yo, registrando hasta el último detalle en la memoria. Por fin posó la mirada en mi vestido.

—Siempre me había preguntado qué habría sido de esa pluma. Te da el aspecto de una guerrera. Me gusta.

Empezó la música, con la misma melodía con la que ya habíamos bailado en el pasado. Cómo no. Las notas llenaron toda la estancia; hicimos una reverencia y empezamos a movernos uno en torno al otro.

—Quiero pensar que nos da algo de suerte.

Volvimos a situarnos cara a cara.

—Yo llevo siempre encima nuestro amuleto de la suerte —dijo él, dándose un par de palmaditas en el bolsillo de su guerrera, del que asomaba el borde dorado de un pañuelo que conocía muy bien.

Giré, sin apartar los ojos de su bolsillo.

—Me dijiste que lo habías perdido.

—No lo perdí. Pero es que no quería devolvértelo —dijo. Luego se lo pensó mejor y se corrigió—. Bueno, una vez lo perdí, y puse mi habitación patas arriba buscándolo. No salgo a la calle sin él en el bolsillo.

—¿Cuándo te volviste tan romántico? —bromeé.

—Siempre lo he sido. Lo que pasaba era que me odiabas demasiado como para verlo.

Fruncí los labios, fingiéndome pensativa.

—Solo te odié un día o dos. Más o menos.

—Ojalá yo pudiera decir lo mismo —dijo él, meneando la cabeza—. De haber sabido que disponíamos de tan poco tiempo, y lo importante que acabaría siendo, no lo habría perdido.

—Aún nos queda un día. No cometamos el mismo error.

Él asintió, y seguimos moviéndonos por la pista. ¿Por qué me había parecido en Isolte que ese baile era mucho más largo? La canción estaba llegando a su fin, e iba a levantarme del suelo. Podía ser la última excusa que tendría en mi vida para sentir el abrazo de Etan.

Me levantó, mirándome a los ojos…, y no volvió a bajarme. Me sostuvo ahí, en alto, mirándome fijamente, hasta que la música se detuvo.

Cuando por fin me bajó, todos los presentes estaban aplaudiéndonos, y yo estaba casi sin respiración.

Entre un mar de ojos, solo podía ver los suyos. Sentí que me inclinaba cada vez más hacia él, acercándome. Él tragó saliva, pero enseguida apartó la mirada, y yo sentí que necesitaba salir de ahí inmediatamente.

—Supongo que este puede ser un buen momento. Ven —dije, le cogí la mano y me lo llevé al lado del salón donde estaban los ventanales.

Les hice una señal con la cabeza a Hagan y a Ayanna, que estaban charlando, con las cabezas muy juntas. Me pregunté qué confidencias podían estar compartiendo. Fuera lo que fuese, lo dejaron para venir a nuestro encuentro. Algunos de los sacerdotes ya estaban allí, siempre atentos a todo lo que sucedía.

—Langston, ¿quiere descubrir el ventanal, para que pueda enseñárselo a nuestro invitado?

Aunque al principio Langston había expresado su preocupación por el nuevo ventanal, no podía discutir que vivíamos un momento histórico sin precedentes. Le hizo un gesto con la cabeza a otro hombre, que tiró vigorosamente de un cordón, corriendo la cortina.

El sol aún estaba algo alto, pero iluminaba el ventanal perfectamente. Me quedé mirando a Etan mientras contemplaba la escena.

—Esa eres tú —observó con un suspiro.

Asentí. Sí, era yo. Llevaba un vestido rojo, y el cabello al viento, y estaba justo delante del castillo. Pero el ventanal no era un homenaje a mi persona. En segundo plano se veía la silueta de decenas de hombres de azul, y delante de todos ellos…

—¡Y ese soy yo!

—Te veré todos los días —dije, bajando la voz—. Y todos los habitantes de Coroa sabrán quién eres y lo que hiciste por nosotros.

Observé que la nuez le subía y le bajaba por el cuello un par de veces, señal del esfuerzo que estaba haciendo por contener las lágrimas.

—Eso es demasiado, Hollis.

—Es todo lo que puedo hacer. Nada me parece suficiente.

Tragó saliva con dificultad.

—Me encanta. Yo… —Me miró, y no acabó la frase.

Estábamos atrapados por nuestras respectivas coronas, y resultaba dolorosísimo saber lo mucho que nos queríamos y sentir que no podíamos hacer nada al respecto.

—Si me disculpáis, majestad… Creo que las emociones de la jornada han acabado fatigándome.

Se giró y sus dedos rozaron de nuevo los míos, y salió del salón.

Ayanna le siguió, y la verdad es que no supe descifrar muy bien su expresión. ¿Estaba triste? ¿Decepcionada? Fuera lo que fuese, no tenía buena pinta. Un momento después, madre y Scarlet aparecieron a mi lado.

—Es un gesto precioso, majestad —dijo madre.

—¿No puedes llamarme Hollis, sin más? —le pregunté, al borde de las lágrimas.

Scarlet me rodeó la cintura con los brazos mientras madre me pasaba una mano por el cabello en un gesto cariñoso.

—Por supuesto. Siempre serás Hollis para mí. ¡Pero mira lo lejos que has llegado! Y todo lo que has conseguido. Etan se peleaba con todo y con todos; había perdido toda esperanza de hacer algo positivo con su vida, y tú le salvaste. ¡Y tú! Te enfrentaste a los monstruos de tu vida y reparaste unas injusticias enormes. Eres la primera soberana de la historia de Coroa y… ¡Bueno, solo tienes que mirar a tu alrededor!

Lo hice. Observé con atención.

—Has conseguido algo que para la mayoría era impensable. Solo por eso ya aparecerás en los libros de historia —dijo ella.

Entonces se me ocurrió algo. Quizá fuera una estupidez, algo insensato, y a lo mejor imposible. Pero no tenía nada que perder, así que iba a intentarlo, eso desde luego.

—Id a buscar a Valentina. Y también a Nora. Os necesito a todas. Necesito vuestra ayuda.

39

La luz del alba empezaba a filtrarse por las ventanas, y yo seguía leyendo sobre leyes. Madre, Scarlet, Valentina, Nora y yo nos íbamos pasando los libros la una a la otra, comprobándolo todo entre las cinco.

Valentina bostezó ostentosamente.

—No creo que sea ilegal. Pero no tengo la seguridad de que nadie no pueda discutírtelo. ¿Nora?

—Es imposible entender el lenguaje legal. No paro de buscar cosas en el diccionario. ¿Por qué no podían escribir todo esto con mayor claridad?

Scarlet se frotó los ojos.

—Yo no he encontrado nada que lo prohíba. Pero la verdad es que ya hace unas horas que lo veo todo borroso.

—Yo creo que voy a caer rendida —apostilló madre.

—Es verdad, lo siento —me disculpé, agotada también yo—. Pero os vais esta noche, así que si voy a hacer algo, tengo que hacerlo ahora.

Exhaustas, pero siempre leales, mis amigas y familiares siguieron examinando los libros de leyes y de historia que teníamos ante nosotras. Me sentía como si estuviera disparando flechas en la oscuridad, intentando encontrar algo que no tenía muy claro que existiera siquiera.

—Hollis… —De pronto, Valentina abrió mucho los ojos.

Me la quedé mirando mientras leía por segunda vez un fragmento de un libro de leyes—. Mira esto.

Me pasó uno de los grandes códices, señalando un pasaje. Yo lo leí tres veces, para asegurarme de que lo había entendido bien.

—Creo que esto es… ¡Valentina, creo que lo has encontrado!

—¡Oh, gracias a Dios! —exclamó Scarlet—. ¿Ya podemos irnos a dormir?

—Ahí tienes mi cama —le dije—. Descansad un poco, todas vosotras. Buscaré a alguien que me vista, Valentina. Tú ya has hecho más que suficiente.

Ella negó con la cabeza.

—Si vas a hacer esto, no puedo dejarte en manos de otra. Vamos.

La seguí hasta mi dormitorio, donde madre y Scarlet se dejaron caer en mi cama, sin más ceremonias. La pobre Nora cayó rendida sobre un gran sillón, y al cabo de unos segundos ya estaba dormida. Pensé en las últimas noches de mi vida que había pasado sin dormir. Una fue cuando habíamos tenido que llegar hasta Varinger Hall a pie. Otra, cuando decidí salir corriendo hacia la frontera y Etan salió en mi busca. Otra, cuando lloré al leer su carta, en la que me explicaba nuestra situación. Y ahora esta. Me negaba a pensar en esas noches como tiempo perdido, pero tenía muchas esperanzas puestas en la noche que tenía por delante.

Una vez más, escogí un vestido rojo, y Valentina me ayudó a ponérmelo. Una gran parte de mi vestuario era rojo. Me lavé un poco la cara, y ella me recogió el cabello para que estuviera presentable. Me miré al espejo, intentando hacer acopio de valor.

—¿Cuál es el primer paso? —preguntó Valentina.

—Hagan.

Asintió.

—Parece lógico. ¿Qué tal te ves?

Repasé su trabajo.

—Perfecto. Como siempre. Gracias.

—¿Quieres que venga contigo?

La miré, y viendo su cara de sueño, no pude evitar reírme.

—No. Creo que esto tengo que hacerlo sola.

—Oh, gracias a Dios —dijo, dejándose caer en un canapé cercano.

La dejé y atravesé el castillo, todavía en silencio, a paso ligero. Era muy probable que Hagan estuviera aún en la cama, y estaba a punto de brindarle el peor despertar de su vida. A mi paso, la gente me saludaba con una reverencia. Cuando llegué a sus aposentos, erguí bien la cabeza, respirando hondo. Tardé varios minutos en reunir el valor suficiente para llamar.

Su mayordomo abrió la puerta. En cuanto me vio, hizo una reverencia, muy nervioso.

—Laurence, ¿puedes decirle a sir Hagan que estoy aquí? Esperaré a que esté vestido, si es necesario.

Lauren se puso en pie y me entregó una carta plegada en dos.

—Eso no será necesario, majestad.

Tomé la carta y rompí el sello. Me encontré con una breve nota garabateada a toda prisa.

> Hollis:
>
> Lo siento. Sé que quieres amor, y yo también, y no parece que lo hayamos encontrado el uno en el otro. Lo siento muchísimo. Un hombre mejor quizás habría podido afrontarlo. Espero que encuentres a alguien que pueda ocupar el lugar en el que yo no encajo.
>
> HAGAN

Quizá mi primera reacción no debería de haber sido de alivio.

—¿No ha dicho adónde iba?

—No, majestad.

Me quedé allí de pie, atónita. No enfadada; simplemente…, sorprendida.

—Si te enteras, por favor, comunícamelo, para que pueda enviarle mis bendiciones. Gracias.

Me giré e intenté aclarar la mente. Quizá me molestara un poco descubrir que ni siquiera la corona pudiera bastarle para hacer tolerable la vida conmigo. Aunque, en realidad, eso mismo me había pasado a mí con Jameson. No, no se lo tendría en cuenta. Algún día encontraría el modo de agradecérselo. En realidad, eso era lo que se merecía.

Una vez resuelto aquello, solo me quedaba hablar con Etan. No dejaba de imaginarme su reacción. Desde luego, estaba entregado a Isolte, y con lo recto que era, se negaría a hacerle daño a Ayanna. Todo esto podía acabar muy mal.

Tragué saliva y subí la escalera en dirección a su habitación. Volví a repetir el ridículo proceso de antes, respirando hondo para reunir el valor de llamar a la puerta. Pero mientras procedía con mi inútil ritual, oí voces al otro lado de la puerta.

Llamé con los nudillos y me encontré a Etan en persona. Tenía un papel en las manos y parecía perplejo. Cuando hubo abierto la puerta del todo, usó la mano que le quedaba libre para meterse la camisa en el pantalón y alisarse el jubón. Tenía el cabello enmarañado, pero le quedaba bien.

—Hollis, ¿tú sabes algo de esto? —preguntó, levantando el papel.

—¿Qué es?

—Me lo colaron bajo la puerta anoche. Ayanna se ha ido.

Sentí que, de pronto, me quedaba pálida. Suspiré.

—Quizá sepa algo. Puedes…, ¿puedes pedirle al servicio que nos deje solos un momento?

Con la mirada perdida, casi como si le acabaran de decir que tenía que resolver un acertijo para poder atravesar un puente, asintió. Los mayordomos y los camareros salieron, cerrando la puerta tras ellos.

—Esto es culpa mía —dijo—. Debía haberle prestado más atención. Solo he pensado en brindarte la mejor despedida posible, y supongo que ella no lo ha soportado. El único responsable soy yo.

—Ella…, bueno, habló conmigo. Sabía que había luz al final del túnel, tenía esperanzas. Tú no has hecho nada malo.

Me miró, perplejo.

—¿Vosotras habéis hablado?

—Sí. Es algo que hacemos las mujeres. Te lo recomiendo mucho. Ayuda a resolver muchos problemas.

—Pues este no lo ha resuelto —dijo él, amargamente, y se dejó caer en una butaca.

—Hablamos ayer a primera hora de la tarde —le dije—. Debe de haber pasado algo después. Imagino que hablaría con Hagan sobre la posición que ocupaban en nuestras vidas.

Él me miró a través de los dedos de la mano con que se cubría la cara.

—¿Y qué te hace pensar eso?

—Oh, nada. Solo que él también se ha ido —respondí, mostrándole mi carta.

Etan se puso en pie de un salto.

—¿Crees que se han ido juntos?

—¿Cómo iba a saber adónde ir una chica isoltana a menos que un chico coroano la ayudara?

Dejó caer los hombros, abatido, y se puso a caminar adelante y atrás.

—Hollis… Lo siento. Que se me complique la vida a mí es una cosa, pero… ¿y tú?

—Estoy acostumbrada —respondí, encogiéndome de hombros.

A pesar de lo abatido que se sentía, se rio.

—¿Cómo puedes estar tan tranquila? Tú y yo tenemos que casarnos con alguien. Tenemos que prolongar la dinastía familiar, y acabamos de perder nuestras mejores opciones.

Negué con la cabeza, sonriendo. Los ojos se me llenaron de lágrimas.

—No, Etan —dije, casi sin voz—. No eran las mejores.

Él dejó de caminar arriba y abajo. Se me quedó mirando muy nervioso, a la vez esperanzado e inquieto. Probablemente, en eso nos pareciéramos.

—¿Hollis? —dijo, mirándome, pero sin acabar de entenderme.

Me aclaré la garganta.

—¿Recuerdas que sugeriste trazar una nueva frontera entre Isolte y Coroa?

—Sí. Y lo mantengo. Es algo en lo que creo firmemente.

—Bueno, ¿y si… elimináramos la frontera?

Frunció el ceño, confuso.

—¿Qué?

—¿Y si Isolte cediera todo su territorio a Coroa? ¿Y si Coroa cediera todo su territorio a Isolte? ¿Y si… dejara de haber una frontera entre tú y yo?

Su expresión se relajó.

—¿Ninguna frontera?

—Ninguna frontera.

—¿Un solo país?

—Un solo país.

De pronto, fue como si viera cómo los engranajes de su cerebro giraban.

—Entonces, en lugar de dos tronos en dos castillos en dos países... ¿Esos tronos estarían en un país, en un castillo?

—Con un salón del trono circular —propuse.

—Y un laberinto en el jardín, evidentemente —añadió.

—Valentina, Nora, madre, Scarlet y yo nos hemos pasado la noche entera estudiando las leyes del país, analizando hasta el último detalle. Tendríamos que encontrar una denominación específica, pero como reina tengo derecho a adquirir nuevos territorios, a integrar a otros países. Y sé que Isolte también es un país con leyes bien estructuradas, así que seguro que tú tendrás más o menos las mismas potestades. Podemos encontrar el modo de hacer encajar las leyes. Podríamos estar juntos... —Le miré y me encogí de hombros—. ¿Qué te parece?

Se lanzó hacia mí, haciendo chocar su labios contra los míos. Yo aguanté el envite, desesperada por sentirlo más cerca. Me sobraba el aire.

—¿Crees que puede funcionar? —preguntó, esperanzado—. Siguen siendo dos pueblos diferentes.

—No como antes, Etan. He estado atenta durante vuestra visita. Las cosas han cambiado. Probablemente por nosotros. Resulta sorprendente lo fácil que es enseñar a la gente a no odiar. Creo que funcionará, Etan. De verdad, lo creo.

Él me miró de arriba abajo.

—Tendremos que empezar a vestirnos de morado.

—No hay problema. A mí me queda bien cualquier color.

—Sí bueno, habrá que verlo —bromeó, agarrándome más fuerte y besándome una vez más.

Otros títulos que te gustarán

SERIE LA SELECCIÓN:

La Selección, La élite, La elegida, La heredera y *La corona*

Para treinta y cinco chicas, La Selección es una oportunidad que solo se presenta una vez en la vida.

Treinta y cinco chicas llegaron a Palacio. Ahora, solo quedan seis.
LA ÉLITE
Segunda parte de la trilogía LA SELECCIÓN
KIERA CASS

SOLO UNA CHICA SE LLEVARÁ LA CORONA
LA ELEGIDA
Tercera parte de la trilogía LA SELECCIÓN
KIERA CASS
rocaeditorial

TREINTA Y CINCO PRETENDIENTES. UNA PRINCESA.
UNA NUEVA SELECCIÓN HA COMENZADO.
LA HEREDERA
Cuarto libro de la serie LA SELECCIÓN
KIERA CASS
rocaeditorial

TREINTA Y CINCO PRETENDIENTES ENTRARON EN LA SELECCIÓN.
¿A QUIÉN ESCOGERÁ LA PRINCESA?
LA CORONA
Quinto libro de la serie LA SELECCIÓN
KIERA CASS
rocaeditorial

La sirena

Una chica con un secreto. El chico de sus sueños.
Un océano entre ambos.

Una historia de fantasía y romance por la autora
de la serie *best seller* internacional La Selección.

La prometida

Una joven aspirante a reina.
Un joven y apuesto rey.
Una combinación perfecta. ¿O no?